Ce qu'ils ont dit à propos de ce livre…

« Tous les couples se doivent de lire *Bouillon de poulet pour l'âme du couple*. Ce livre vous réchauffera le cœur, vous divertira et vous permettra de mieux comprendre votre partenaire. Vous en sortirez plus amoureux que jamais! »

MARIE OSMOND
Animatrice de l'émission de télévision *Donny & Marie*
Cofondatrice de Children's Miracle Network

« Le monde a besoin davantage d'amour, et *Bouillon de poulet pour l'âme du couple* nous donne un bel aperçu de la différence que peut faire l'amour dans nos vies. »

DEEPAK CHOPRA, M.D.
Auteure de *The Path of Love*
Directrice de la formation à The Chopra Center of Well Being

« L'amour contenu dans ce livre enchantera votre cœur! Je vous le recommande fortement. »

SUSAN JEFFERS, PH.D.
Auteure de *Opening Our Hearts to Men*

« *Bouillon de poulet pour l'âme du couple* est le recueil le plus émouvant d'histoires sur l'amour, les sentiments et les relations, écrit depuis des dizaines d'années. Il élèvera l'esprit des lecteurs de tout âge. Que vous soyez déjà amoureux ou que vous attendiez cette personne spéciale, vous serez transportés par la chaleur et la sensibilité romantique des expériences partagées dans ces pages. »

TERRY M. WALKER
Éditeur de *American Bride Magazine*

« Quelle joie de s'asseoir et de lire quelque chose de bon pour soi. Ma femme et moi savons que nous sommes mariés pour longtemps. Nous avons trouvé beaucoup de réconfort à lire les histoires d'autres personnes qui ressentent la même chose. Merci d'avoir réuni autant d'histoires merveilleuses qui décrivent les hauts et les bas, les épreuves comme les récompenses du mariage. Nos trois enfants vous remercient aussi! »

JOHN R. SCHNEIDER
Cofondateur de Children's Miracle Network
Acteur dans *Dukes of Hazard*

« N'oubliez pas d'emporter avec vous un exemplaire de *Bouillon de poulet pour l'âme du couple* que vous lirez pendant votre voyage de noces ou au cours d'une escapade amoureuse. Ce merveilleux recueil d'histoires est passionnant pour les jeunes mariés ou les couples d'amoureux. »

ADAM SANDOW
Président de *Honeymoon Magazine*

« Juste comme je croyais avoir entendu toutes les propositions de mariage et toutes les déclarations d'amour les plus romantiques, *Bouillon de poulet pour l'âme du couple* est arrivé. Ces histoires émouvantes, venues du fond du cœur, ne manqueront pas de vous inspirer l'amour et de vous faire apprécier profondément les personnes que vous aimez dans votre vie. »

CYNTHIA C. MUCHNICK
Auteure de *101 Ways to Pop the Question*
et *Will You Marry Me? The World's Most Romantic Proposals*

Bouillon de Poulet pour l'âme du Couple

SÉRIE
« BOUILLON DE POULET POUR L'ÂME »

PUBLICATIONS RÉCENTES

Un **1er** bol de Bouillon de poulet pour l'âme
Un **2e** bol de Bouillon de poulet pour l'âme
Un **3e** bol de Bouillon de poulet pour l'âme
Un **4e** bol de Bouillon de poulet pour l'âme
Un **5e** bol de Bouillon de poulet pour l'âme

Bouillon de poulet pour l'âme de la **femme**
Un **concentré** de Bouillon de poulet pour l'âme
Bouillon de poulet pour l'âme des **ados**
Bouillon de poulet pour l'âme d'une **mère**
Bouillon de poulet pour l'âme des **chrétiens**
Une **tasse** de Bouillon de poulet pour l'âme
Bouillon de poulet pour l'âme **au travail**
Bouillon de poulet pour l'âme de l'**ami des bêtes**
Bouillon de poulet pour l'âme du **golfeur**
Bouillon de poulet pour l'âme des **ados** — **JOURNAL**
Bouillon de poulet pour l'âme de l'**enfant**
Bouillon de poulet pour l'âme du **survivant**
Bouillon de poulet pour l'âme du **couple**

PROCHAINES PARUTIONS

Bouillon de poulet pour l'âme des **célibataires**
Bouillon de poulet pour l'âme des **ados II**
Bouillon de poulet pour l'âme de la **femme II**

PROJETS

Un **6e** bol de Bouillon de poulet pour l'âme
Bouillon de poulet pour l'âme des **parents**
Bouillon de poulet pour l'âme de la **femme enceinte**
Bouillon de poulet pour l'âme **à l'âge d'or**
Bouillon de poulet pour l'âme de la **mère II**
Bouillon de poulet pour l'âme — **livre de cuisine**

Jack Canfield
Mark Victor Hansen
Barbara De Angelis, Ph.D.
Mark & Chrissy Donnelly

Bouillon de Poulet pour l'âme du Couple

Des histoires inspirantes sur l'amour et les relations amoureuses

Traduit par Claude Herdhuin

SCIENCES ET *CULTURE*
Montréal, Canada

L'édition originale de cet ouvrage a été publiée sous le titre
CHICKEN SOUP FOR THE COUPLE'S SOUL

Health Communications, Inc., Deerfield Beach, Floride (É.-U.)
ISBN 1-55874-646-3

Réalisation de la couverture : ZAPP

Dépôt légal : 2e trimestre 2001
Bibliothèque nationale du Québec
Bibliothèque nationale du Canada

ISBN 2-89092-268-5

Éditions Sciences et Culture
5090, rue de Bellechasse
Montréal (Québec) Canada H1T 2A2
(514) 253-0403 Fax : (514) 256-5078
Internet : www.sciences-culture.qc.ca
Courriel : admin@sciences-culture.qc.ca

Nous reconnaissons l'aide financière du gouvernement du Canada par l'entremise du Programme d'Aide au Développement de l'Industrie de l'Édition pour nos activités d'édition.

IMPRIMÉ AU CANADA

Chacun de nous est un ange avec une seule aile. Et nous ne pourrons voler qu'en nous serrant dans les bras l'un de l'autre.

Luciano de Crescenzo

De nos cœurs aux vôtres,
nous dédions ce livre
à toute personne qui a déjà aimé
ou qui espère aimer de nouveau.

Table des matières

4. Se comprendre l'un l'autre

5. Surmonter les obstacles

6. La famille

7. La flamme qui brûle encore

8. L'amour éternel

Les citations

Pour chacune des citations contenues dans cet ouvrage, nous avons fait une traduction libre de l'anglais au français. Nous pensons avoir réussi à rendre le plus précisément possible l'idée d'origine de chacun des auteurs cités.

Remerciements

Il a fallu plus de trois ans pour écrire, compiler et éditer *Bouillon de poulet pour l'âme du couple.* À certains moments, ce fut un marathon; à d'autres, une course contre la montre. Mais en tout temps, ce fut un travail de joie et d'amour. Nous avons construit des liens solides et bénéficié de façon inattendue d'amitiés que nous avions déjà. Mais avant tout, nous tenons à remercier de leur aide les nombreuses personnes ci-dessous, sans lesquelles ce projet n'aurait pu voir le jour. Kim Kirberger, pour ses dons d'organisatrice qui ont permis à ce projet de passer à travers une étape décisive. Kim, tu as été notre ange, et nous te serons toujours reconnaissants pour ton amitié et ton amour.

Patty Hansen, qui nous a aidés à ne pas nous éparpiller et qui nous a rappelé en quoi consiste la série *Bouillon de poulet pour l'âme*. Elisabeth et Melanie, merci pour votre amour et votre approbation.

Georgia Noble, merci de nous avoir ouvert ta maison et de nous avoir accordé ton soutien; ta chaleur et ton amour nous ont été d'une aide considérable. Christopher Canfield, merci d'avoir partagé ton père avec nous.

Bob Proctor, pour nous avoir fourni l'environnement créatif qui nous a permis de peaufiner l'idée originale de ce livre. Sans toi, ce serait une tout autre histoire (au sens propre du terme)!

John Assaraf, pour avoir été le tronc de cet arbre de la réussite qui nous a permis d'atteindre toutes les autres branches.

Phyllis et Don Garsham, merci pour votre amour sans faille, votre inspiration et votre soutien inébranlable.

Bob et Jan Donnelly, qui ont toujours été là quand nous avions besoin d'eux et qui sont de merveilleux parents et de bons amis.

Jeanne Neale, qui est une maman merveilleuse, dont les avis nous ont été des plus précieux. Tu es la meilleure!

Hilda Markstaller, pour être la source de sagesse que tu es.

Mac Markstaller, pour l'aide que tu nous as accordée inlassablement dans notre recherche d'histoires à publier, pour ton optimisme, et pour ta croyance indéfectible que les rêves peuvent et deviennent réalité.

Alison Betts, qui a fait preuve d'ingéniosité et de ténacité afin de rassembler en un tout le manuscrit et d'obtenir les autorisations nécessaires, et qui nous a servi de lien dans nos communications tout au long du projet.

Patty Aubery, ton soutien et ton amitié nous ont permis de trouver le courage et l'inspiration nécessaires à la réalisation de ce projet. Tu as permis de mettre le projet en route, et la recette du *Bouillon de poulet* est extraordinaire parce que tu es extraordinaire! Jeff Aubery, J. T. et Chandler, merci pour votre amitié et votre soutien!

Nancy Mitchell, merci de nous avoir encouragés et guidés du début à la fin du projet. Merci aussi de nous avoir accompagnés dans les démarches complexes pour l'obtention des autorisations.

Heather McNamara, qui, grâce à son savoir-faire, a pu nous guider de l'étape du manuscrit à l'étape finale. Merci de t'être jointe à nous quand la pression devenait insupportable. Tu es la meilleure!

Leslie Forbes, pour s'être attelée à la tâche quand nous avions besoin d'aide et pour son travail difficile lorsque des autorisations étaient requises… hier!

Veronica Romero, Teresa Esparza et Robin Yerian, pour avoir animé avec tant de professionnalisme les séminaires sur l'estime de soi.

Ro Miller, pour avoir été le membre indispensable de l'équipe. Qui de nous va s'occuper de Chandler quand Patty doit s'absenter?!

Lisa Williams et Laurie Hartman du bureau de Mark Victor Hansen, pour avoir appuyé le projet et pour nous avoir guidés dans ce labyrinthe.

Tout le personnel chez Health Communications, notre éditeur, avec qui il a été si facile de travailler et qui a manifesté un immense enthousiasme pour le projet. Peter Vegso, Tom Sand et Terry Burke, qui ont réuni et dirigé une si merveilleuse équipe.

Christine Belleris, Matthew Diener, Lisa Drucker et Allison Janse pour votre travail d'expertise dans l'édition de ce livre. Larissa Hise, pour ta contribution artistique et tes idées précieuses au sujet de la couverture du livre.

Diana Chapman, pour ton soutien si précieux dès le début de ce projet. Ton amitié et ta perspicacité nous ont permis de rester dans le droit chemin et nous ont soutenus lors de ces inévitables périodes de solitude. Merci.

Matt Eggers, Marty Rauch, Chris McDevitt, Amy et Neal Fanelli, James et Sherry Sandford, Lillian et Frank Kew, ainsi que DeJais Collel, qui ont sincèrement cru en ce projet dès le début. Vos cœurs sont si grands et si ouverts aux autres qu'il ne fait aucun doute que vous serez récompensés au centuple pour vos bonnes actions.

Arielle Ford, pour avoir été une fervente partisane de ce livre. Merci à toi aussi, Brian Hilliard!

Marci Shimoff et Jennifer Hawthorne, coauteures exceptionnelles, qui nous ont guidés et fait bénéficier de leur expérience extraordinaire et de leur énergie positive. Nous sommes heureux de faire partie de la même équipe.

Jann Mitchell, pour avoir donné le coup d'envoi en écrivant un article dans *The Oregonian*, il y a trois ans.

Merci également aux nombreuses personnes qui ont passé des heures à lire nos meilleures deux cents histoires, pour les avoir classées, et pour avoir donné des commentaires utiles qui nous ont permis de choisir celles qui seraient publiées dans ce livre : Bonnie Block, Christine Clifford, Lisa Drucker, Beverly Kirkhart, Peggy Larson, Inga Mahoney, Lillian Wagner, Nancy Mitchell, Robbin O'Neill, Krista Buckner, Diana Chapman, Patrick Collins, Yvonne Fedderson, Dionne Fedderson, Tom Krause, Cristi Leahs, Heather McNamara, Jeanne Neale, Annie Slawik, Jilian West, Lynne Cain, Nance Dheifetz, Cindy Dadonna, Sherry Grimes, Tom Lagana, Laura Lagana, Barbara LoMonaco, Linda Mitchell, Ron Nielsen, Robin Stephens, Karen Lisko, Jean Soberick, Bud Grossmann, Rabbi Avi Magid, Robert Shapard, Ph.D., Dr Ian MacMillan, Robert P. Barclay, Elizabeth Reveley, Connie Fueyo, Shore Slocum, Randy Heller, Lisa Molina, Barbara Rosenthal, Amy Rosenthal, Debbie Robins, Hubert La Bouillerie, Sharon Dupont et Jean Nero.

Merci également aux centaines de personnes qui nous ont soumis des histoires, des poèmes et des citations pour publication éventuelle dans ce livre. Bien qu'il nous fût impossible d'utiliser tout le matériel que nous avons reçu, nous avons été profondément touchés que vous ayez partagé des écrits si poignants et si émouvants. Vos sentiments et vos opinions sur l'amour et les relations ont été pour nous tous une source constante d'inspiration. Merci !

Compte tenu de l'envergure de ce projet, nous avons sans doute oublié de mentionner des personnes très importantes qui nous ont aidés durant le projet. Si c'est le cas, veuillez accepter nos excuses et sachez que votre aide a été vraiment appréciée.

Nous exprimons notre profonde reconnaissance à toutes les mains bienveillantes et à toutes les intentions sincères qui ont participé à ce projet. Sans vous, il n'aurait pu voir le jour. Nous vous aimons tous!

Introduction

L'amour est la force magique la plus puissante de l'univers, et c'est dans la relation intime existant entre deux personnes que sa beauté et sa magie sont les plus visibles. Nous avons écrit *Bouillon de poulet pour l'âme du couple* dans l'espoir de capter ce mystère et cette magie dans les mots, des mots qui sauront toucher et ouvrir votre cœur si vous avez été amoureux, ou si vous espérez l'être. Ce livre s'adresse aux personnes mariées et aux amoureux, ainsi qu'à toute personne qui rêve de trouver son âme sœur.

Il existe des histoires d'amour entre deux personnes qui durent toute une vie. D'autres ne durent que quelque temps, soit parce que le couple décide de se séparer, soit parce que le destin les sépare. Mais une chose est vraie : peu importe comment se termine une relation amoureuse, quand l'amour entre dans notre vie, il ne nous quitte jamais sans avoir transformé profondément notre être.

Chaque histoire dans ce livre a été écrite par quelqu'un que l'amour a transformé. Leur lecture nous a transformés, et nous espérons qu'il en sera de même pour vous. Peut-être que certaines de ces histoires vous aideront à renouveler le lien de confiance et d'intimité dans votre relation amoureuse, ou à mieux comprendre votre partenaire. D'autres vous aideront peut-être à apprécier comment l'amour vous a permis de grandir pour faire de vous un être meilleur. Enfin, certaines d'entre elles vous réconforteront et vous rappelleront que, même si chaque histoire d'amour est unique et apporte à chacun de nous son lot de défis et son bonheur, vous n'êtes jamais seul à vivre cette expérience.

Qu'est-ce qui définit notre relation intime? Quels sont les signes que nous devrions chercher pour découvrir comment l'amour se révèle? Les histoires que vous allez lire répondent à ces questions avec perspicacité et éloquence. Parfois, l'amour se manifeste dans la compréhension et l'amitié uniques que nous ne partageons qu'avec notre partenaire. Parfois, il se manifeste dans ce qui est dit et parfois dans ce qui n'est pas dit, mais profondément ressenti. Parfois, ce sont les obstacles que nous devons surmonter ensemble qui témoignent de notre amour, ou encore la joie que nous ressentons à être avec notre partenaire, laquelle se communique à nos enfants et à notre famille. Enfin, l'amour peut résider là où la relation avec notre partenaire nous conduit à l'intérieur de nous-mêmes — des endroits où nous n'irions pas de notre plein gré. Mais pour l'amour, nous sommes prêts à faire n'importe quoi.

Les relations amoureuses sont aussi d'extraordinaires moyens d'apprendre, comme l'illustrent merveilleusement les histoires contenues dans ce livre. Elles nous enseignent à être compatissants, aimants et indulgents. Avec elles, nous apprenons aussi quand faire preuve de fermeté et quand lâcher prise. Les relations intimes nous offrent la possibilité de développer de grandes vertus comme le courage, la patience, la loyauté et la confiance. Si nous le permettons, nos relations nous montreront tout ce que nous devons améliorer en nous afin de progresser en tant que personne. De cette manière, l'amour n'entrera jamais dans nos vies sans nous transformer pour le meilleur.

Il y a des moments où l'amour peut s'exprimer de façon très simple, par exemple dans un sourire d'approbation de la personne aimée. À d'autres moments, il vous semblera sublime; il vous invitera dans de nouveaux mondes de passion et d'union, inconnus jusqu'alors. Comme l'amour lui-même, les histoires contenues dans ce livre reflètent chaque saison, chaque état d'esprit et chaque couleur d'une émotion : les doux débuts d'une relation amoureuse, les défis à relever et l'approfondissement de l'intimité, la souffrance quand nous sommes obligés de dire adieu à notre âme sœur, l'étonnement quand nous redécouvrons un amour que nous croyions avoir perdu.

Certaines histoires vous feront rire, d'autres pleurer. Mais, plus que tout, les histoires contenues dans *Bouillon de poulet pour l'âme du couple* rendent hommage à la capacité de l'amour de survivre au-delà des années, des difficultés, de la distance et même de la mort.

Il n'existe pas de plus grand miracle que l'amour. C'est le cadeau le plus précieux que Dieu nous a fait. Nous vous offrons ce *Bouillon de poulet pour l'âme du couple* tel un cadeau. Puisse ce livre toucher votre cœur, élever votre esprit, inspirer votre âme, et vous accompagner avec tendresse dans votre vie amoureuse. Et que votre vie soit toujours bénie par l'amour.

1

Amour et intimité

L'amour est la plus prodigieuse
de toutes les forces.
Il est invisible
— on ne peut le voir ni le mesurer —
mais il est assez puissant
pour vous transformer en un instant,
et vous offrir plus de joie
que tout bien matériel
ne le pourra jamais.

Barbara De Angelis, Ph.D.

Je pense à toi

Vivre dans les cœurs que nous laissons derrière nous n'est pas mourir.

Thomas Campbell

Le visage de Sophie s'effaçait dans la lumière grise de l'hiver qui éclairait le salon. Elle somnolait dans le fauteuil que Joe lui avait acheté pour leur quarantième anniversaire de mariage. La pièce était chaude et silencieuse. Dehors, il neigeait légèrement.

À treize heures quinze, le facteur apparut au coin d'Allen Street. Il était en retard dans sa livraison, pas à cause de la neige, mais parce que c'était la Saint-Valentin et qu'il y avait plus de courrier que d'habitude. Il passa devant la maison de Sophie sans regarder. Vingt minutes plus tard, il remonta dans son camion et partit.

Sophie sursauta quand elle entendit le camion démarrer. Elle enleva ses lunettes et s'essuya la bouche et les yeux avec le mouchoir qu'elle avait toujours dans sa manche. Elle se leva en s'aidant de l'accoudoir du fauteuil, se redressa lentement et défroissa le devant de sa robe d'intérieur vert foncé.

Le bruit discret de ses chaussons se fit entendre sur le sol alors qu'elle gagnait la cuisine d'une démarche traînante. Elle s'arrêta devant l'évier pour laver les deux assiettes laissées sur le comptoir après le dîner. Elle remplit à moitié d'eau une tasse en plastique et prit ses cachets. Il était treize heures quarante-cinq.

Il y avait une chaise berçante dans le salon, près de la fenêtre qui donnait sur l'avant de la maison. Sophie se laissa glisser dedans. Dans une demi-heure, les enfants passeraient devant pour rentrer chez eux après l'école. Sophie se berçait et regardait tomber la neige en attendant.

Les garçons arrivèrent les premiers, comme toujours, en courant et en criant des choses que Sophie ne pouvait pas entendre. Aujourd'hui, ils faisaient des boules de neige et se les lançaient. Une boule de neige manqua sa cible et vint s'écraser bruyamment contre la fenêtre de Sophie. Elle fit un saut en arrière, et la chaise berçante glissa du bord de son tapis ovale usé.

Les filles lambinaient derrière les garçons, par groupes de deux et de trois. Elles cachaient leur bouche avec leurs mains emmitouflées et gloussaient. Sophie se demanda si elles parlaient des valentins qu'elles avaient reçus à l'école. L'une d'elles, jolie avec de longs cheveux bruns, s'arrêta et montra du doigt la fenêtre derrière laquelle Sophie était assise. Sophie se cacha derrière les rideaux, soudain embarrassée.

Quand elle regarda de nouveau dehors, les garçons et les filles étaient partis. Il faisait froid près de la fenêtre, mais elle y resta à regarder la neige recouvrir les traces de pas des enfants.

La camionnette d'un fleuriste tourna sur Allen Street. Sophie la suivit des yeux. Elle roulait doucement. À deux reprises, elle s'arrêta et repartit. Puis, le chauffeur freina devant la maison voisine où habitait Mme Mason et se gara.

Qui peut bien envoyer des fleurs à Mme Mason?, se demanda Sophie. *Sa fille du Wisconsin? Ou son frère? Non, son frère est très malade. C'est certainement sa fille. Comme elle est gentille.*

Les fleurs lui firent penser à Joe. Pendant un instant, elle laissa ce douloureux souvenir l'envahir. Demain, on serait le quinze. Huit mois depuis le décès de Joe.

Le fleuriste frappait à la porte d'entrée de Mme Mason. Il portait une longue boîte blanche et verte, et une planchette porte-papiers. Il semblait n'y avoir personne. Bien sûr! On était vendredi, et Mme Mason faisait de la courte-pointe à l'église les vendredis après-midi. Le livreur regarda autour de lui et se dirigea vers la maison de Sophie.

Sophie se leva difficilement de la chaise berçante et resta près des rideaux. L'homme frappa à la porte. Elle remit ses cheveux en place de ses mains tremblantes. Il frappait pour la troisième fois quand elle atteignit le vestibule.

« Oui? » dit-elle en l'examinant par la porte entrebâillée.

« Bonjour madame », dit-il d'une voix forte, « Est-ce que vous accepteriez de prendre une livraison pour votre voisine? »

« Oui », répondit Sophie en ouvrant grand la porte.

« Où voulez-vous que je dépose la boîte? » demanda poliment l'homme en entrant à grands pas.

« Dans la cuisine, s'il vous plaît. Sur la table. » L'homme lui sembla énorme. Elle pouvait à peine voir son visage entre sa casquette verte et sa barbe. Sophie fut contente qu'il partît rapidement, et elle ferma la porte à clé derrière lui.

La boîte était aussi longue que la table de la cuisine. Elle s'approcha de la boîte et se pencha pour lire ce qui y était écrit : « NATALIE, des fleurs pour toute occasion ». Une forte odeur de roses l'envahit. Elle ferma les yeux et respira plus lentement, en imaginant des roses jaunes. Joe lui offrait toujours des roses jaunes.

« À mon rayon de soleil », aurait-il dit en lui offrant l'extravagant bouquet. Il aurait ri avec ravissement, l'aurait embrassée sur le front, puis aurait pris ses mains dans les siennes et lui aurait chanté « Tu es mon rayon de soleil ».

Il était dix-sept heures quand Mme Mason frappa à la porte d'entrée de Sophie. Sophie était toujours à la table de cuisine. Elle avait ouvert la boîte, les roses étaient posées sur ses genoux, elle se balançait doucement et caressait les délicats pétales jaunes. Mme Mason frappa de nouveau, mais Sophie ne l'entendit pas; et la voisine partit au bout de quelques minutes.

Quelque temps passa, puis Sophie se leva et posa les fleurs sur la table. Elle avait les joues rouges. Elle tira un escabeau sur le plancher de la cuisine et sortit un vase de porcelaine blanche du haut du placard d'angle. Elle se servit d'un verre pour remplir le vase avec de l'eau. Puis, avec des gestes tendres, elle arrangea les roses et le feuillage et emporta le tout au salon.

En arrivant au centre de la pièce, elle souriait. Elle tourna doucement sur elle-même, commença à s'incliner et à tournoyer en faisant de petits cercles. Elle se déplaçait légèrement et gracieusement, autour du salon, dans la cuisine, jusqu'à l'entrée, et revenait. Elle dansa jusqu'à ce qu'elle sente des faiblesses dans ses genoux, puis elle se laissa tomber dans le fauteuil et s'endormit.

À dix-huit heures quinze, Sophie se réveilla en sursaut. Quelqu'un frappait à la porte arrière cette fois. C'était Mme Mason.

« Bonjour, Sophie », dit Mme Mason. « Comment allez-vous? J'ai frappé à votre porte à dix-sept heures.

J'étais un peu inquiète que vous n'ayez pas répondu. Est-ce que vous dormiez? » Elle essuya ses bottes pleines de neige sur le paillasson et entra tout en continuant de bavarder.

« Je déteste la neige, pas vous? La radio annonce quinze centimètres d'ici minuit, mais les météorologues se trompent toujours! Vous vous souvenez, l'hiver dernier, quand ils ont annoncé dix centimètres et qu'il est tombé plus de cinquante-deux centimètres. Cinquante-deux! Et ils avaient dit que l'hiver serait doux cette année. Je crois que ça fait des semaines que le mercure n'est pas monté au-dessus de zéro! Vous savez! J'ai payé 394 $ d'huile à chauffage le mois dernier! Et ma maison est petite! »

Sophie ne l'écoutait qu'à moitié. Elle s'était souvenue tout à coup des roses, et elle devint rouge de honte. La boîte vide était derrière elle, sur la table de la cuisine. Qu'allait-elle dire à Mme Mason?

« Je ne sais pas combien de temps je vais pouvoir continuer à payer les factures. Si seulement Alfred, que Dieu le bénisse, avait été aussi prudent avec l'argent que votre Joseph. Joseph! Oh, mon Dieu! J'allais oublier les roses! »

Les joues de Sophie s'empourprèrent! Elle commença à s'excuser en bégayant et fit un pas de côté pour que Mme Mason puisse voir la boîte vide.

« Oh, c'est bien! » l'interrompit Mme Mason. « Vous avez mis les roses dans l'eau. Alors, vous avez trouvé la carte. J'espère que cela ne vous a pas trop choquée de voir l'écriture de Joseph. Il m'avait demandé de vous apporter les roses la première année, pour que je vous explique à sa place. Il ne voulait pas vous effrayer avec son "Leg de roses", comme il l'appelait, du moins je crois. Il a pris ses dispositions avec le fleuriste, au mois d'avril dernier. Quel homme merveilleux, votre Joseph…»

Sophie n'écoutait plus. Son cœur battait la chamade alors qu'elle saisissait la petite enveloppe qu'elle n'avait pas vue jusque-là. Elle était restée près de la boîte dans laquelle étaient les fleurs. Ses mains tremblaient quand elle sortit la carte.

« À mon rayon de soleil, je t'aime de tout mon cœur. Essaie d'être heureuse quand tu penses à moi. Je t'aime, Joe. »

Alicia von Stamwitz

Quelqu'un pour veiller sur moi

Les passagers de l'autobus regardaient avec compassion la séduisante jeune femme s'aidant de sa canne blanche pour monter prudemment les marches de l'autobus. Elle paya le chauffeur et se guida de la main le long de l'allée. Elle trouva le siège vide que le chauffeur lui avait indiqué, s'installa, plaça son porte-documents sur ses genoux et appuya sa canne contre sa jambe.

Depuis maintenant un an, Suzan, trente-quatre ans, était devenue aveugle. Il avait suffi d'une erreur de diagnostic pour lui faire perdre la vue et la plonger brutalement dans les ténèbres. Elle vivait depuis dans la peur, la frustration et l'apitoiement. Autrefois farouchement indépendante, Suzan se sentait maintenant impuissante, sans défense, et condamnée par ce terrible coup du sort à devenir un fardeau pour son entourage. « Comment cela a-t-il pu m'arriver? » demandait-elle, le cœur noué par la rage. Mais peu importe ses pleurs, son indignation ou ses prières, elle savait la terrible vérité — jamais elle ne retrouverait la vue.

Suzan, autrefois optimiste, traversa une période de dépression. La vie quotidienne était devenue une source de frustration et d'épuisement. Il ne lui restait plus que Marc, son mari, sur qui compter. Marc était officier de l'armée de l'air et aimait Suzan de tout son cœur. Quand elle perdit la vue, il la vit sombrer dans le désespoir. Il était déterminé à aider sa femme à retrouver la force et la confiance dont elle avait besoin pour redevenir indépendante. L'expérience de Marc dans l'armée l'avait formé pour faire face à des situations délicates, mais néanmoins, il savait que ce combat serait le plus difficile auquel il aurait jamais à faire face.

Vint enfin le moment où Suzan se sentit prête à retourner travailler, mais comment s'y rendrait-elle? Elle avait l'habitude de prendre l'autobus, mais maintenant, elle avait trop peur de se déplacer toute seule en ville. Marc proposa de la conduire au travail tous les jours, même s'ils travaillaient chacun à l'opposé de la ville. Au début, cet arrangement rassura Suzan, et satisfit le besoin de Marc de protéger sa femme aveugle et si insécure d'accomplir la moindre tâche.

Marc se rendit très vite à l'évidence que cet arrangement ne fonctionnait pas — c'était très exigeant et coûteux. *Suzan va devoir recommencer à prendre l'autobus*, admit-il. Mais rien que l'idée de devoir lui en parler le faisait reculer. Elle était encore si fragile, si en colère. Quelle serait sa réaction?

Comme Marc le prévoyait, Suzan fut horrifiée à l'idée de reprendre l'autobus. « Je suis aveugle! » répondit-elle avec amertume. « Comment pourrai-je savoir où je dois aller? Je me sens seule, abandonnée... Tu m'abandonnes. »

Marc eut le cœur brisé en entendant ces paroles, mais il savait ce qu'il devait faire. Il promit à Suzan qu'il l'accompagnerait en autobus tous les matins et tous les soirs, aussi longtemps qu'il le faudrait, jusqu'à ce qu'elle se sente à l'aise.

Et c'est exactement ce qu'il fit. Pendant deux semaines, Marc, vêtu de son uniforme militaire, accompagna sa femme à son travail et alla la chercher tous les jours. Il lui enseigna comment utiliser ses autres sens, en particulier son ouïe, pour déterminer où elle était, et comment s'adapter à son nouvel environnement. Il l'aida à sympathiser avec les chauffeurs d'autobus, qui pourraient faire attention à elle et lui garder un siège. Il la fit rire, même les mauvais jours quand elle faisait un faux pas en descendant de l'autobus ou quand elle renversait dans l'allée son porte-documents rempli de papiers.

Tous les matins, ils faisaient le trajet ensemble, et Marc prenait un taxi pour retourner à son bureau. Bien que cette façon de procéder fût plus coûteuse et plus épuisante que d'accompagner Suzan en voiture, Marc savait qu'il ne faudrait pas beaucoup de temps pour qu'elle puisse prendre l'autobus toute seule. Il avait confiance en elle, en la Suzan qu'il avait connue avant qu'elle ne perde la vue, celle à qui aucun défi ne faisait peur et qui jamais n'aurait abandonné.

Finalement, vint le moment où Suzan déclara qu'elle était prête à essayer de faire le trajet toute seule. Quand arriva le lundi matin, elle serra Marc dans ses bras, son compagnon d'autobus temporaire, son mari, son meilleur ami. Des larmes noyèrent ses yeux, témoignage de gratitude envers Marc pour sa loyauté, sa patience et son amour. Elle lui dit au revoir et, pour la première fois, ils prirent chacun le chemin de leur travail.

Lundi, mardi, mercredi, jeudi... Chaque jour, Suzan fit le trajet sans encombre; et elle ne s'était jamais sentie aussi bien. Elle était capable de le faire! Elle allait à son travail toute seule!

Le vendredi matin, elle prit l'autobus comme d'habitude. Alors qu'elle payait son billet, le chauffeur dit : « Vous avez bien de la chance! Je vous envie! » Suzan n'était pas certaine que le chauffeur s'adressait à elle. Qui pourrait bien envier une femme aveugle qui avait lutté juste pour trouver le courage de vivre pendant la dernière année? Curieuse, elle demanda au chauffeur : « Pourquoi dites-vous que vous m'enviez? »

Le chauffeur lui répondit : « On doit se sentir si bien d'être aimée et protégée comme vous l'êtes. »

Suzan n'avait aucune idée de ce dont le chauffeur lui parlait et lui demanda de s'expliquer.

Le chauffeur répondit : « Tous les matins depuis une semaine, un bel homme en uniforme militaire se tient debout de l'autre côté de la rue et vous observe quand vous descendez de l'autobus. Il s'assure que vous traversez la rue sans danger, puis il vous surveille jusqu'à ce que vous entriez dans l'immeuble où vous travaillez. Il vous envoie un baiser, vous fait un petit signe de la main et s'en va. Vous avez de la chance! »

Des larmes de bonheur inondèrent les joues de Suzan. Même si elle ne pouvait le voir physiquement, elle avait toujours senti la présence de Marc. Elle avait de la chance, beaucoup de chance, car il lui avait offert un cadeau plus précieux que la vue, un cadeau qu'elle n'avait pas besoin de voir pour y croire — le cadeau de l'amour qui peut apporter la lumière là où il y a l'obscurité.

Sharon Wajda

J'ai faim de ton amour

Il fait si froid, un froid glacial, par cette sombre journée d'hiver de 1942. Mais ce n'est pas différent des autres jours dans ce camp de concentration nazi. Debout, je frissonne dans mes haillons, je n'arrive pas à croire que ce cauchemar est arrivé. Je ne suis qu'un jeune garçon. Je devrais jouer avec des amis et aller à l'école. Je devrais penser à l'avenir, à quand je serai grand et me marierai, puis aurai une famille bien à moi. Mais ces rêves sont pour les vivants, et je ne suis plus un vivant. Je suis plutôt presque mort. Je survis d'une journée à l'autre, d'une heure à l'autre, depuis que j'ai été arraché à ma maison et amené ici avec des dizaines de milliers d'autres Juifs. *Est-ce que je serai encore en vie demain? Est-ce qu'on va me conduire à la chambre à gaz ce soir?*

Je fais les cent pas jusqu'à la clôture de fil barbelé, j'essaie de réchauffer mon corps squelettique. J'ai faim. Mais j'ai faim depuis longtemps, trop longtemps. J'ai toujours faim. La nourriture comestible semble n'exister qu'en rêve. Chaque jour, alors que nous sommes de plus en plus nombreux à disparaître, les jours heureux semblent un simple rêve. Je plonge dans un désespoir de plus en plus profond.

Soudain, je remarque une jeune fille qui marche de l'autre côté des barbelés. Elle s'arrête et me regarde de ses yeux tristes, des yeux qui disent qu'elle comprend, qu'elle non plus ne sait pas pourquoi je suis ici. Je veux regarder ailleurs. Curieusement, j'ai honte que cette étrangère me voie dans cet état, mais je ne peux pas détacher mes yeux des siens.

Elle met la main dans sa poche et en sort une pomme rouge. Une belle pomme rouge, brillante. *Oh, il y avait si longtemps que je n'en avais pas vue une!* Elle regarde avec précaution à gauche et à droite, puis avec un sourire de triomphe, lance rapidement la pomme par-dessus la clôture. Je cours pour la ramasser et la saisis dans mes doigts gelés et tremblants. Dans le monde de la mort qui est le mien, cette pomme symbolise la vie, l'amour. Je relève la tête juste à temps pour voir la fillette disparaître au loin.

Le jour suivant, je ne peux pas m'en empêcher — je suis attiré à la même heure, au même endroit près de la clôture. *Je suis fou de croire qu'elle va revenir!* Mais ici, je m'accroche à n'importe quel espoir, aussi minuscule soit-il. Elle m'a donné de l'espoir, et je dois m'y accrocher.

Et encore, la voici qui vient. Et encore, elle m'apporte une pomme, qu'elle lance par-dessus la clôture avec le même sourire gentil.

Cette fois-ci, je l'attrape et la tiens en l'air pour qu'elle la voie. Ses yeux pétillent. *A-t-elle pitié de moi?* Peut-être. Je m'en moque d'ailleurs. Je suis si heureux de la regarder. Et, pour la première fois depuis longtemps, je sens une émotion envahir mon cœur.

Pendant sept mois, nous nous rencontrons tous les jours. Parfois, nous échangeons quelques mots. Parfois, seulement une pomme. Mais elle nourrit plus que mon estomac, elle est un ange venu du paradis. Elle nourrit mon âme. Et je sais que, d'une certaine manière, je nourris la sienne aussi.

Un jour, j'apprends une nouvelle effroyable : nous allons être transférés dans un autre camp. Cela peut signifier ma mort. Et cela implique aussi la fin définitive de notre amitié.

Le jour suivant, le cœur brisé, je vais à notre rendez-vous. J'ai de la difficulté à parler et à lui dire ce que je dois lui dire : « Ne m'apporte pas de pomme demain. On m'envoie dans un autre camp. Nous ne nous reverrons jamais. » Je fais demi-tour avant d'être incapable de me maîtriser et m'éloigne de la clôture en courant. Je suis incapable de me retourner. Elle verrait les larmes qui inondent mon visage.

Les mois passent, et le cauchemar continue. Mais le souvenir de cette fille me donne du courage pour traverser cette période de terreur, de souffrance et de désespoir. Je revois sans cesse son visage, ses yeux doux, j'entends ses mots gentils, j'ai dans la bouche le goût de ses pommes.

Un jour, juste comme ça, c'est la fin du cauchemar. La guerre est finie. Ceux d'entre nous qui ont survécu sont libérés. J'ai perdu tout ce qui m'était précieux, y compris ma famille. Mais il me reste le souvenir de cette fille, un souvenir que je garde dans mon cœur et qui me donne le courage de continuer alors que je déménage en Amérique pour commencer une nouvelle vie.

Les années passent. Nous sommes en 1957. Je vis à New York. Un ami me convainc d'accepter un rendez-vous avec une de ses amies que je ne connais pas. J'accepte à contrecœur. Roma, c'est son nom, est sympathique. Comme moi, c'est une immigrante. Nous avons au moins ça en commun.

« Où étiez-vous pendant la guerre? » me demande gentiment Roma, avec la délicatesse propre aux immigrants quand ils se questionnent sur ces années-là.

« J'étais dans un camp de concentration, en Allemagne. » Roma regarde au loin. Elle est très loin, comme si elle se souvenait de quelque chose de douloureux, mais de doux aussi.

Je lui demande : « Qu'est-ce qu'il y a? »

« Je pense à quelque chose qui m'est arrivé, il y a longtemps, Herman », m'explique Roma d'une voix soudain très douce. « Quand j'étais petite fille, j'habitais près d'un camp de concentration. Il y avait un garçon là-bas, un prisonnier. J'allais le visiter tous les jours, pendant longtemps. Je me souviens que je lui apportais des pommes. Je lui lançais la pomme par-dessus la clôture, et il était si heureux. »

Roma soupire profondément et continue : « Il est difficile de décrire ce que nous ressentions l'un pour l'autre — après tout, nous étions jeunes et nous n'avions échangé que quelques paroles quand c'était possible. Mais, je peux vous dire qu'il y avait là beaucoup d'amour. Il a dû être tué, comme tant d'autres. Cette idée m'est insupportable, et j'essaie de me souvenir de lui tel qu'il était pendant ces mois que nous avons pu partager. »

Mon cœur bat si fort dans ma poitrine; je pense qu'il va exploser. Je regarde Roma dans les yeux et lui demande : « Ce garçon vous a-t-il dit un jour "ne m'apporte pas de pomme demain. On m'envoie dans un autre camp"? »

« Pourquoi? Oui », répond Roma d'une voix tremblante.

« Mais… Herman, comment est-il possible que vous sachiez cela? »

Je prends ses mains dans les miennes et lui réponds : « Parce que j'étais ce petit garçon, Roma. »

Il s'ensuit un long silence. Nous ne pouvons détacher nos yeux l'un de l'autre et, tandis que les années s'estompent, nous reconnaissons, derrière les yeux de la personne assise en face de nous, l'âme de l'ami cher que nous avons tant aimé autrefois, que nous n'avons jamais cessé d'aimer, que nous n'avons jamais oublié.

Je finis par parler : « Roma, j'ai été séparé de toi une fois, je ne veux plus jamais être séparé de toi. Maintenant, je suis libre et je veux être avec toi pour toujours. Chère Roma, veux-tu m'épouser? »

Je vois dans ses yeux la même étincelle que je voyais autrefois quand elle répond : « Oui, je veux t'épouser. » Nous nous serrons dans les bras l'un de l'autre, une étreinte que nous avions rêvé de partager pendant des mois alors que des barbelés se dressaient entre nous. Maintenant, plus rien ne nous séparera.

Presque quarante ans ont passé depuis le jour où j'ai retrouvé ma Roma. Le destin nous a réunis la première fois pendant la guerre pour me donner une promesse d'espoir; et maintenant, il nous a réunis pour remplir cette promesse.

Le jour de la Saint-Valentin 1996, j'emmène Roma à l'émission *Oprah Winfrey* pour lui rendre hommage à la télévision nationale. Je veux lui dire devant des millions de téléspectateurs ce que je ressens pour elle tous les jours, au fond de mon cœur : « Mon amour, tu m'as nourri alors que j'avais faim dans un camp de concentration. Et j'ai encore faim de quelque chose que je n'aurai jamais assez : *je n'ai faim que de ton amour.* »

Herman et Roma Rosenblat
Tel que raconté à Barbara De Angelis, Ph.D.

Je t'aime

Mes grands-parents étaient mariés depuis plus de cinquante ans et s'amusaient à un jeu bien à eux depuis qu'ils s'étaient rencontrés. Le but de leur jeu était d'écrire « Je t'aime » dans un endroit où l'autre ne s'attendrait pas à le trouver. Chacun leur tour, ils laissaient un « Je t'aime » quelque part dans la maison et dès que l'autre le trouvait, c'était à son tour de l'écrire dans un endroit de son choix.

Ils traçaient « Je t'aime » avec leurs doigts dans les contenants de sucre et de farine pour que celui qui préparerait le prochain repas le découvre. Ils le traçaient sur la fenêtre recouverte de rosée qui donnait sur le patio où ma grand-mère nous servait des puddings maison encore chauds. « Je t'aime » était écrit sur la buée du miroir de la salle de bains, où il réapparaîtrait bain après bain. Une fois, ma grand-mère a déroulé un rouleau entier de papier toilette pour écrire « Je t'aime » sur la dernière feuille.

Aucun endroit n'était épargné. « Je t'aime » pouvait surgir à tout moment, de n'importe où. On trouvait des petites notes griffonnées de « Je t'aime » sur le tableau de bord et sur les sièges de la voiture, ou collées sur le volant. Elles étaient cachées dans une chaussure ou sous un oreiller. L'on pouvait lire « Je t'aime » tracé dans la poussière sur le manteau de la cheminée ou dans les cendres du foyer. Ces mots mystérieux faisaient partie de la maison de mes grands-parents autant que les meubles.

Il m'a fallu beaucoup de temps pour que je puisse vraiment apprécier le jeu de mes grands-parents. Je fus longtemps sceptique en ce qui concerne le véritable amour — un amour pur et durable. Cependant, je n'ai jamais douté de l'amour de mes grands-parents l'un pour l'autre. Ils exprimaient des gestes amoureux l'un envers l'autre. Plus que de petits jeux amoureux, il s'agissait d'un mode de vie. Leur relation était fondée sur une dévotion et une affection passionnée que tout le monde n'a pas la chance de vivre.

Grand-mère et grand-père se tenaient la main dès qu'ils le pouvaient. Ils se volaient des baisers quand ils buttaient l'un contre l'autre dans leur minuscule cuisine. Ils terminaient les phrases de l'autre et faisaient ensemble les mots croisés et les mots mystère du journal. Ma grand-mère me confiait à voix basse combien mon grand-père était beau, qu'il était devenu un très beau vieux monsieur. Elle déclarait avoir su le choisir! Avant chaque repas, ils baissaient la tête en signe de recueillement, remerciaient et s'émerveillaient de leur bonheur : une magnifique famille, de la chance et leur amour.

Mais un nuage noir planait sur la vie de mes grands-parents : ma grand-mère avait un cancer du sein. Il y avait dix ans que la maladie était apparue pour la première fois. Comme toujours, grand-père avait accompagné ma grand-mère pas à pas. Il la réconfortait dans leur chambre jaune, couleur qu'il avait choisie pour qu'elle soit toujours entourée de soleil, même quand elle était trop malade pour sortir.

Maintenant, le cancer attaquait de nouveau son corps. Avec l'aide d'une canne et de la main solide de mon grand-père, elle continuait de se rendre tous les matins à l'église. Mais ma grand-mère devenait de plus en plus faible et finit par ne plus pouvoir sortir de la maison. Pendant quelque temps, grand-père se rendit à l'église tout seul, priant Dieu de veiller sur sa femme. Un jour, ce que nous craignions tous arriva. Grand-mère mourut. « Je t'aime » était griffonné en jaune sur les rubans roses du bouquet funéraire de ma grand-mère. Alors que l'assemblée se dispersait, mes tantes, mes oncles, mes cousins et d'autres membres de la famille s'approchèrent du cercueil et se recueillirent une dernière fois autour de grand-mère. Grand-père s'approcha à son tour, prit une respiration difficile et commença à chanter pour elle. Avec des larmes dans la voix et son profond chagrin, mon grand-père chanta une berceuse.

Ébranlée par mon propre chagrin, je savais que jamais je n'oublierais ce moment. Je savais que, même si je ne pouvais pas saisir la profondeur de leur amour, j'avais eu le privilège d'être témoin de sa beauté incomparable.

Je t'aime.

Merci grand-mère et grand-père de m'avoir permis d'être témoin de votre amour.

Laura Jeanne Allen

Une histoire d'amour irlandaise

Ce qui est aimé est toujours beau.

Proverbe norvégien

Appelons-le Ian. Ce n'est pas son vrai nom, mais en Irlande du Nord, il faut être prudent quand on révèle des noms. Il y a eu plus de deux mille quatre cents crimes commis pour des motifs religieux depuis la nouvelle vague de violence opposant catholiques et protestants. Une haine ancestrale. Mieux vaut ne pas prendre de risque.

De plus, Ian, qui n'a pourtant que vingt-quatre ans, a déjà assez souffert dans sa vie.

Il vient d'une famille protestante respectable qui ne manque jamais d'assister rigoureusement aux deux offices religieux du dimanche. Son père, soudeur dans les chantiers maritimes de Belfast, était un homme sur qui on pouvait compter. La mère veillait à ce que la maison soit toujours propre et en ordre. Elle préparait le meilleur pain du quartier et dirigeait la famille d'une langue tranchante. Deux frères aînés, tous deux au chômage.

Ian avait été un bon élève et gagnait bien sa vie comme ouvrier dans une usine de production. Tranquille et sérieux, il aimait beaucoup se promener dans la campagne verdoyante le soir et pendant les fins de semaine ensoleillées de l'été. Peu de choses lui apportaient plus de plaisir que la lecture d'un livre près du feu crépitant pendant les longues soirées de solitude hivernale. Il n'avait jamais eu beaucoup de petites amies — bien qu'en Irlande, les hommes ont tendance à se marier tard.

Il y a deux ans, le jour de son vingt-deuxième anniversaire de naissance, il rentrait chez lui à pied après le travail quand un terroriste lança une bombe d'une voiture roulant à toute allure… laissant Ian bredouillant dans le cauchemar d'une soudaine cécité.

On l'emmena d'urgence à l'hôpital, où on l'opéra immédiatement pour des lésions internes et des fractures. Mais il avait perdu l'usage de ses deux yeux.

Les autres blessures guérirent peu à peu. Toutefois, des cicatrices marqueraient sa chair jusqu'à la fin de ses jours. Mais les cicatrices laissées dans son esprit, bien qu'invisibles, étaient encore plus importantes.

C'est à peine s'il parlait, mangeait, buvait et dormait. Il était couché dans son lit, mélancolique, et privé de la vue. Cela dura presque quatre mois.

Seule une infirmière semblait être capable d'éveiller en lui quelque réaction humaine. Appelons-la Bridget, un joli prénom irlandais. D'une bonne famille catholique, de celles qui, avant toute chose, vont à la messe chaque dimanche matin.

Son père était menuisier. Il travaillait presque tout le temps loin de chez lui, en Angleterre. Un homme respectable — il aimait sa famille et passait les fins de semaine avec elle quand il avait les moyens de payer le voyage. Sa famille l'aimait autant qu'on peut aimer un père absent.

La mère gardait la maison propre mais en désordre, préparait le meilleur ragoût du quartier et dirigeait la famille d'une main leste et d'un cœur tendre.

Six frères, quatre sœurs — Mary, la plus jeune de tous, âgée de onze ans, était la préférée de son père.

Bridget avait été une bonne élève et avait suivi une formation d'infirmière dans un hôpital réputé londonien. Maintenant, à vingt et un ans, elle faisait partie du personnel infirmier du plus grand hôpital de Belfast.

Vivante, bien que très sérieuse, Bridget chante beaucoup, d'une voix douce et agréable, et a une façon unique d'interpréter des chansons folkloriques. Elle n'a jamais eu beaucoup de petits amis, bien que les jeunes hommes prêts à jeter leur dévolu n'aient pas manqué.

Ian avait touché son cœur. Son côté petit garçon perdu lui faisait monter les larmes aux yeux. Il est vrai, qu'il ne pouvait pas voir ses larmes, mais elle craignait que sa voix ne trahisse ses émotions.

D'une certaine manière, elle avait raison; ce sont les inflexions mélodieuses et la gaieté de sa voix qui ont tiré Ian des profondeurs de la dépression et de l'apitoiement. Ce sont la chaleur, la douceur et la force de ses mots, l'assurance avec laquelle elle lui parlait de l'amour de Jésus-Christ qui l'ont aidé.

Au fil des jours, des semaines et des mois passés dans l'obscurité, il prit l'habitude de l'attendre, tendant l'oreille pour entendre ses pas approcher. Il tournait alors son visage dans sa direction comme une fleur se tourne en direction du soleil.

À la fin de son séjour de quatre mois à l'hôpital, il fut déclaré incurable; plus jamais il ne retrouverait la vue. Mais il savait que leur amour lui donnerait le courage d'accepter cette affliction. Car malgré tous les obstacles qui se dressaient contre eux — la religion, la politique, l'opposition de leurs familles — ils s'aimaient et découvraient leur nouvel amour avec bonheur.

Il sortit de l'hôpital et commença les mois épuisants de réhabilitation : il apprit comment se laver, se raser et s'habiller sans aide, comment se déplacer dans la maison sans se cogner les tibias contre toutes les chaises, comment marcher à travers les rues avec une canne blanche, lire le braille et survivre à la pitié accablante qu'il sentait partout où il se trouvait. Leur amour lui donna l'espoir dont il avait besoin pour continuer à vivre et pour essayer de devenir autonome.

Bridget et Ian ne pouvaient pas passer beaucoup de temps ensemble. Ils se voyaient un soir de temps à autre, parfois un après-midi quand le travail de Bridget le lui permettait. Mais, ils vivaient pour ces brèves rencontres remplies de paix, de bonheur et de joie.

Leurs familles étaient horrifiées. Ils songeaient à se marier? C'était sûrement contre la Loi divine.

« Quelle communion peut-il y avoir entre les enfants de la lumière et les enfants des ténèbres? » tonna le père de Ian. « Tu ne l'épouseras pas tant que je vivrai! »

« L'Église catholique romaine décourage les mariages mixtes. Oublie cette idée! » déclara le curé à Bridget.

C'est ainsi que des pressions de toutes sortes — disputes continuelles, menaces, promesses, et même mensonges — les séparèrent. Ils finirent par se quereller. Les paroles blessantes prirent la place des mots d'amour. Et un soir de bruine, elle le quitta.

Ian se replia dans sa nuit perpétuelle. Des jours et des semaines d'amertume. « Avec le temps, tu ne le regretteras pas. Tu ne te serais attiré que des problèmes en te mariant avec une incrédule! » lui disait son entourage.

Bridget se réfugia dans son travail, trop blessée dans son cœur pour se souvenir. Des semaines et des mois d'une agonie muette. « Tu remercieras le Tout-Puissant. Tu aurais vécu l'enfer sur terre en épousant un protestant! » furent les paroles de consolation de sa famille.

Une année passa. Les attentats à la bombe continuaient pour le malheur de l'Irlande.

Un soir, Ian était seul chez lui quand des coups désespérés retentirent contre sa porte. « Ian, viens vite! »

Il reconnut dans cette voix hystérique, étranglée par les sanglots, Mary, la jeune sœur de Bridget. « Il y a eu un attentat à la bombe! Elle est coincée et à moitié morte! Elle t'appelle en criant. Viens, Ian! Pour l'amour de Dieu, s'il te plaît, viens! »

Sans prendre le temps de refermer la porte derrière lui, il saisit la main que lui tendait Mary. Elle le conduisit, et ils parcoururent les rues en trébuchant et en pleurant.

La bombe avait dévasté un petit restaurant où Bridget était en train de souper avec trois autres infirmières. Ses collègues avaient réussi à se frayer tant bien que mal un passage à travers les décombres. Bridget avait la jambe coincée, et le feu gagnait du terrain.

On pouvait l'entendre crier, mais il était impossible de se rendre dans l'enfer où elle était prisonnière. Les pompiers, les soldats, de la lumière et des équipements spéciaux étaient en route.

Ian se faufila dans le chaos. « Vous ne pouvez pas entrer! » cria le policier responsable de surveiller les opérations.

« C'est ma fiancée », répondit Ian.

« Ne faites pas l'imbécile. Vous ne pourrez même pas voir le bout de votre nez dans l'obscurité! » cria le policier.

« Quelle importance l'obscurité pour un aveugle? » répondit Ian.

Il se tourna en direction de l'endroit d'où provenait la voix de Bridget et traversa cet enfer, guidé par l'instinct et l'adresse propres aux aveugles, ainsi que par la force de l'amour. « J'arrive, Bridget! J'arrive! »

Il la trouva, prit délicatement sa tête dans ses bras amoureux et l'embrassa.

« Ian », murmura-t-elle, « Ian... » et elle perdit connaissance comme un enfant épuisé glisse dans le sommeil.

Il la tint dans ses bras jusqu'à ce que les sauveteurs puissent se frayer un chemin jusqu'à eux. Ses habits étaient trempés par le sang de Bridget, et le feu gagnait du terrain. En raison de sa cécité, il ne vit pas que le feu avait brûlé tout un côté du beau visage de sa bien-aimée.

Avec le temps, beaucoup de temps, elle guérit. Malgré la chirurgie esthétique, son visage garderait toujours des cicatrices. « Mais », disait-elle, « le seul homme que j'aime ne pourra jamais les voir; alors, quelle différence cela fait pour moi? » Ils reprirent leur histoire d'amour là où ils l'avaient laissée. Ils savaient que jamais ils n'avaient cessé de s'aimer.

Leurs familles firent tout pour les en empêcher. Une confrontation faillit se terminer à coups de poing. Cris, injures, insultes, menaces désespérées, tout y était. Mais au beau milieu de tout cela, Bridget prit Ian par la main, et ils quittèrent ensemble ce lieu de haine.

Oui, ils allaient se marier. Toute la sagesse populaire les prévenait de l'échec. Mais quoi de mieux que l'amour pour guérir?

George Target

Mûre ou bourgogne?

Il me trouva en pleurs dans la chambre d'hôpital. « Qu'est-ce qui ne va pas? » demanda Richard, même s'il savait que nous avions tous deux des raisons de pleurer. Au cours des dernières quarante-huit heures, j'avais appris que j'avais une masse cancéreuse dans le sein qui s'était étendue à mes ganglions lymphatiques et peut-être à mon cerveau. Nous avions tous les deux trente-deux ans et trois jeunes enfants.

Richard me serra très fort et essaya de me réconforter. Nos amis et nos familles avaient toujours été émerveillés par la paix qui entourait notre vie. Jésus était notre sauveur et notre réconfort avant que j'apprenne que j'avais un cancer, et continua de l'être après le diagnostic.

Richard pensa que la terrible réalité de mon état m'était apparue brutalement pendant les quelques instants où il avait quitté la chambre.

Alors qu'il me serrait contre lui, Richard essayait de me réconforter. « C'est trop, beaucoup trop à la fois. C'est ça, Susie? » dit-il.

« Ce n'est pas ça », m'écriai-je en tendant le miroir que je venais de trouver dans le tiroir. Richard me jeta un regard ahuri.

« Je ne savais pas que ça serait comme ça », criai-je en regardant d'un œil stupéfait mon reflet dans le miroir. Je ne me reconnaissais pas. J'étais terriblement enflée. Après l'opération, je gémissais dans mon sommeil. Des amis, voulant bien faire, avaient alors généreusement utilisé l'appareil d'automédication pour soulager ce qu'ils croyaient être de la douleur. Malheureusement, j'étais allergique à la morphine; j'avais enflé comme une saucisse. La bétadine tachait mon cou, mon épaule et ma poitrine, et il était trop tôt pour que je prenne un bain. Un tube pendait de mon côté, à l'endroit où j'avais été opérée, pour drainer le liquide. Mon épaule gauche et ma poitrine étaient serrées dans de la gaze, là où il me manquait une partie de ma poitrine. Mes longs cheveux bouclés étaient emmêlés et formaient une grosse boule informe sur l'oreiller.

Plus de cent personnes étaient venues me voir au cours des dernières quarante-huit heures et elles avaient toutes vu cette femme au teint blafard, le cou, l'épaule et la poitrine tachés de brun, cette femme enflée, sans maquillage, aux cheveux emmêlés, vêtue d'une chemise d'hôpital grise. Qu'étais-je devenue?

Richard me réinstalla contre l'oreiller et sortit de la pièce. Quelques instants plus tard, il revint les bras chargés de petites bouteilles de shampoing et de revitalisant qu'il avait prises dans le chariot à l'entrée. Il sortit des oreillers du placard et tira une chaise près de l'évier. Il déroula mon tube intraveineux et mit le long tube qui pendait de mon côté dans la poche de sa chemise. Puis, il se baissa, me prit dans ses bras et me porta — avec l'appareil à intraveineuse et tout le reste — jusqu'à la chaise. Il m'assit doucement sur ses genoux, soutint ma tête dans ses bras au-dessus de l'évier et fit couler de l'eau chaude sur mes cheveux. Il vida les bouteilles de shampoing, lavant et revitalisant mes longues boucles. Il m'enveloppa la tête dans une serviette de toilette et me porta jusqu'à mon lit, toujours avec le tube et l'appareil à intraveineuse. Il fit tout cela si doucement, que pas un point de suture ne me fit mal.

Mon mari, qui n'avait jamais utilisé de sa vie un séchoir à cheveux, en sortit un et me sécha les cheveux tout en me parlant. Il faisait celui qui voulait me donner des conseils de beauté. En se basant sur son expérience, pour m'avoir regardé faire pendant ces douze dernières années, il commença à me coiffer. Je riais en le voyant se mordre la lèvre, plus sérieux que n'importe quel étudiant d'une école d'esthétique. Avec une débarbouillette, il me lava l'épaule et le cou à l'eau chaude, prenant soin de ne pas toucher l'endroit où j'avais été opérée, et me frictionna avec de la lotion.

Puis, il ouvrit ma trousse de maquillage et commença à me maquiller. Jamais je n'oublierai nos rires quand il essaya d'appliquer le mascara et le fard à joues. J'ouvris grand les yeux et retins ma respiration pendant qu'il appliquait le mascara d'une main tremblante sur mes cils. Il frotta mes joues avec un mouchoir en papier pour estomper le fard à joues. Il termina en me montrant deux tubes de rouge à lèvres. « Lequel? Mûre ou bourgogne? » demanda-t-il. Il appliqua le rouge à lèvres, comme un peintre applique ses couleurs sur une toile, et tint le petit miroir devant moi.

J'étais de nouveau un être humain. J'étais un peu enflée, mais je me sentais propre, mes cheveux tombaient en longues boucles soyeuses sur mes épaules; je me reconnaissais.

« Qu'est-ce que tu en penses? » me demanda-t-il. Je recommençai à pleurer, mais cette fois de reconnaissance. « Non, ma chérie. Tu vas tout défaire mon maquillage », dit-il. Et j'éclatai de rire.

Pendant cette période difficile de notre vie, on me donnait seulement quarante pour cent de chances de vivre plus de cinq ans. Il y a de cela sept ans. J'ai traversé toutes ces années grâce au rire, au réconfort de Dieu et à l'aide de mon merveilleux mari. Nous allons fêter notre dix-neuvième anniversaire de mariage cette année, et nos enfants sont maintenant adolescents.

Richard a compris ce qui aurait pu sembler être de la vanité et de la sottise au cœur d'une tragédie. Tout ce qui m'avait toujours semblé acquis avait été remis en question au cours de ces quarante-huit heures — le fait de voir mes enfants grandir, ma santé, mon avenir. Par ce petit geste de bonté, Richard m'avait rendu la normalité. Ce moment restera toujours pour moi un des plus beaux gestes d'amour de notre mariage.

T. Suzanne Eller

Que veut dire être amoureux?

Être présent, c'est plus qu'être là.

Malcolm Forbes

Que veut dire être amoureux? Cela ne se limite pas à être marié ou à faire l'amour avec quelqu'un. Des millions de personnes sont mariées, des millions de personnes font l'amour, mais peu d'entre elles sont de véritables amoureux. Pour entretenir une relation amoureuse authentique, vous devez vous engager et participer à cette danse perpétuelle de l'intimité avec votre partenaire.

Vous êtes amoureux quand vous appréciez le cadeau qu'est votre partenaire et quand vous célébrez ce cadeau tous les jours.

Vous êtes amoureux quand vous vous souvenez que votre partenaire ne vous appartient pas — il ou elle vous a été prêté par l'univers.

Vous êtes amoureux quand vous êtes conscient que rien de ce qui se passe entre vous ne sera insignifiant, que tout ce que vous dites dans le cadre de votre relation sera source de joie ou de tristesse pour la personne que vous aimez, et que tout ce que vous faites renforcera ou affaiblira le lien qui existe entre vous.

Vous êtes amoureux quand vous comprenez tout cela et que vous vous réveillez chaque matin rempli de gratitude à l'idée que vous allez partager une autre journée avec votre partenaire, une journée pendant laquelle vous allez pouvoir l'aimer, et apprécier sa présence.

Quand vous avez une personne qui vous aime dans votre vie, vous êtes immensément riche. L'univers vous a fait cadeau d'une autre personne qui a choisi de marcher à vos côtés. Elle partagera vos jours et vos nuits, votre lit et vos fardeaux. La personne qui vous aime verra des parties secrètes de vous que personne d'autre ne voit. Elle touchera des endroits de votre corps que personne d'autre ne touche. Elle vous cherchera là où vous vous cachez. Elle vous accueillera dans un paradis, dans ses bras aimants et protecteurs.

La personne qui vous aime vous offre, chaque jour, une multitude de miracles. Elle a le pouvoir de vous enchanter par son sourire, sa voix, l'odeur de son cou, sa manière de bouger. Elle a le pouvoir de faire disparaître votre solitude, de transformer l'ordinaire en sublime. Elle est votre porte d'entrée vers le paradis sur cette terre.

Barbara De Angelis, Ph.D.

Un geste tendre

Ce qui vient du cœur touche le cœur.

Don Sibet

C'est à peine si Michael et moi remarquâmes que la serveuse posa les plats sur notre table. Nous étions assis dans un petit restaurant new-yorkais retiré, non loin de la grouillante 3e Rue. Même l'odeur de nos blintzes (crêpes fourrées) ne parvint pas à nous détourner de notre conversation animée. En fait, les blintzes restèrent abandonnées dans leur crème sûre un bon moment. Nous prenions trop de plaisir à parler pour manger.

Notre échange verbal était vivant, s'il n'était pas profond. Nous riions du film que nous avions vu le soir d'avant, et n'étions pas d'accord sur le sens du texte que nous venions de terminer pour notre séminaire de littérature.

Il me raconta le moment où il avait franchi un pas décisif vers la maturité en devenant Michael et en refusant de répondre au nom de « Mikey ». Il avait douze ou quatorze ans, il ne s'en souvenait plus. Mais il se rappelait que sa mère avait pleuré et déclaré qu'il grandissait trop vite.

Pendant que nous mordions dans nos blintzes aux bleuets, je lui parlai des bleuets que ma sœur et moi cueillions quand nous allions rendre visite à nos cousins à la campagne. Je me souvenais que je mangeais toujours les miens avant que nous rentions à la maison, et que ma tante me prévenait que j'allais avoir très mal au ventre. Bien évidemment, je n'ai jamais eu mal au ventre.

Pendant que nous bavardions agréablement, mes yeux parcoururent le restaurant et s'arrêtèrent en direction du petit compartiment situé dans le coin de la salle où était assis un couple âgé. L'imprimé fleuri de sa robe était aussi délavé que le coussin sur lequel elle avait déposé son sac à main usé. Le sommet de la tête de son compagnon était aussi brillant que l'œuf à la coque qu'il grignotait très lentement. Elle mangeait son gruau aussi doucement, presque avec difficulté.

Mais ce fut le profond silence dans lequel ils étaient plongés qui me ramenait toujours vers eux. Il me sembla que le petit coin qu'ils occupaient était habité par un vide mélancolique. Alors que Michael et moi passions des rires aux chuchotements, des confessions aux déclarations, le silence poignant de ce couple me toucha.

Quelle tristesse, pensai-je, *de ne plus rien avoir à se dire. Ne restait-il plus de pages de leur histoire qu'ils n'avaient pas encore tournées? Et si cela devait nous arriver?*

Michael et moi payâmes notre addition et nous levâmes pour partir. Alors que nous passions près de la table où était assis le couple, je laissai tomber par inadvertance mon portefeuille. En me penchant pour le ramasser, je remarquai que, sous la table, ils se tenaient tendrement la main. Ils s'étaient tenu la main pendant tout ce temps!

Je me relevai; un sentiment d'humilité m'envahit devant ce geste simple, témoignage d'un lien profond, auquel j'avais eu le privilège d'assister. Le geste tendre de cet homme qui tenait entre les siens les doigts fatigués de sa femme ne remplit pas seulement ce que j'avais perçu au début comme un coin vide de toute émotion, mais aussi mon cœur.

Leur silence n'était pas le silence inconfortable que l'on ressent toujours immédiatement à la fin d'une blague ou d'une anecdote lors d'un premier rendez-vous. Leur silence témoignait d'une tranquillité, d'un bien-être et d'un amour tendre qui sait qu'il n'a pas toujours besoin de mots pour s'exprimer. Ils partageaient cette heure matinale depuis probablement de nombreuses années, et peut-être qu'aujourd'hui n'était pas très différent d'hier. Mais ils étaient bien ainsi; ils étaient bien ensemble.

Peut-être, pensai-je en sortant du restaurant en compagnie de Michael, que ce ne serait pas si mal si, un jour, nous étions comme eux. Peut-être que ce serait bien.

Daphna Renan

L'amour que nous avons donné nous restera à jamais. L'amour que nous n'avons pas donné sera perdu pour l'éternité.

Leo Buscaglia

2

TROUVER LE VÉRITABLE AMOUR

De chaque être humain surgit une lumière
qui va directement au paradis. Et quand
deux âmes destinées à être ensemble se trouvent,
leurs flots de lumière s'unissent
pour n'en former qu'une seule, plus brillante,
qui naît de l'union de ces deux êtres.

Ba'al Shem Tov

Une épreuve de foi

L'amour guérit les gens, autant ceux qui le donnent que ceux qui le reçoivent.

Karl Menninger

L'air du soir était frais quand Wes Anderson monta dans sa berline couleur argent, en ce 7 mars 1994. Il était 20 h 30, et le pasteur de la Carmichael Christian Church, à Sacramento, venait de terminer une réunion avec plusieurs membres de son église. Âgé de trente-quatre ans, Wes avait une stature imposante.

« Passez une bonne soirée, pasteur », lui avait crié un membre de sa congrégation.

« Je n'y manquerai pas », avait répondu Wes. Puis, de sa voix profonde à l'accent du Tennessee, il ajouta : « J'espère tous vous voir dimanche. »

Wes étudiait la criminologie à l'université quand il sentit l'appel de l'Église. Il arriva à Carmichael en 1992. La congrégation de 110 membres accueillit chaleureusement cet homme agréable au large sourire.

En rentrant chez lui, Wes aperçut une des membres de sa congrégation, Dorothy Hearst, soixante-dix-huit ans, impliquée dans un accrochage entre trois voitures. Il s'arrêta pour lui venir en aide et fut soulagé de voir qu'elle n'avait rien de grave. Soudain, les phares d'une voiture foncèrent sur eux. « Dorothy! » cria Wes. « Il va nous rentrer dedans! » Wes poussa Dorothy hors de la route juste au moment où une voiture familiale le heurta de plein fouet, l'écrasant contre la voiture de Dorothy. Une douleur violente envahit sa jambe droite. Puis, il se tordit de douleur et s'étendit sur l'asphalte, sa jambe droite presque détachée de son corps.

Quand l'ambulance arriva au Davis Medical Center de l'Université de Californie, un médecin mit dans la main du pasteur un formulaire d'autorisation pour une intervention chirurgicale. « Il n'y a pas d'autre façon de dire ce que j'ai à vous dire », déclara-t-il. « Il se peut que nous devions vous amputer de la jambe droite. »

Peu après l'intervention, Wes sentit une crampe insupportable nouer son mollet droit. Il tendit la main pour le frotter, mais eut un mouvement de recul. Sa main rencontrait le vide.

Il était victime de douleur fantôme — la sensation physique que ressentent les amputés quand le cerveau leur transmet le message qu'ils ont encore leur membre. Cette douleur allait et venait tels des revenants qui le torturaient et le mettaient au supplice. Chaque fois, les tiraillements lancinants dans son membre amputé le faisaient grimacer de douleur. Tout cela à cause d'Allen Napier — un chauffard en état d'ivresse qui ne passerait que huit mois en prison.

Les jours passèrent, et Wes sombra dans la dépression. Les interventions chirurgicales laissèrent la jambe qui lui restait couverte de cicatrices. Des zébrures rouges s'entrecroisaient sur son abdomen, là où l'on avait prélevé de la peau pour procéder à des greffes.

« Ce n'est pas juste », se plaignit-il à son ami Mike Cook, pasteur de l'église Sylvan Oaks jumelée avec la Carmichael Christian Church. « Je voulais avoir une femme et des enfants, un jour. Quelle femme pourra m'aimer avec toutes ces blessures et toutes ces cicatrices? »

« La vie est injuste », répondit Mike. « Mais, doit-elle être juste ? Tu as vu des choses horribles arriver à de bonnes personnes. Souviens-toi, Wes, tu as sauvé une vie. Je sais que c'est difficile à croire, mais Dieu a ses raisons. »

Wes détourna les yeux. Lui aussi conseillait à ses ouailles de garder la foi dans les moments difficiles. « Dieu a toujours un plan », leur disait-il souvent. « Ayez confiance en sa volonté. » Mais les paroles considérées autrefois si puissantes lui paraissaient soudain insignifiantes.

Une journaliste du *Sacramento Bee* téléphona. Elle voulait raconter l'histoire de Wes. La première réaction instinctive de Wes fut de refuser; il ne voulait pas être décrit comme un héros. La journaliste promit de ne relater que les faits, et Wes finit par accepter. *Qui sait*, pensa-t-il, *peut-être que cela pourra aider quelqu'un*.

Virginia Bruegger posa le *Sacramento Bee* du 16 mars 1994 sur une pile, près de son lit. Comme tous les jours, elle avait dû faire des pieds et des mains pour passer à travers sa journée. Cela avait commencé avec sa voiture qui ne voulait pas démarrer, puis elle avait manqué l'autobus. Depuis un an et demi, cette mère divorcée de trente-huit ans avait un horaire chargé où se succédaient cours, études et stages pour obtenir un baccalauréat en sciences du comportement de l'Université de Californie, à Davis. Maintenant qu'elle en était à la mi-session de sa dernière année, elle arrivait au bout de son budget très restreint.

Ce soir-là, alors qu'elle s'installait à sa table de cuisine pour étudier, Steven, son fils de seize ans, fut victime d'un empoisonnement alimentaire. À trois heures du matin, Virginia se traîna jusqu'à sa chambre, épuisée. Soudain, la pression lui parut accablante. *Est-ce que je fais bien ?*

Est-ce que je vais trouver un emploi quand j'aurai obtenu mon diplôme?, se demandait-elle.

Un titre du journal attira son attention : "Un pasteur perd une jambe en sauvant une femme d'une collision automobile". Elle prit la section du journal et commença à lire.

Mon Dieu, pensa-t-elle, *quel enfer cet homme a vécu*. Virginia s'arrêta à une citation dans laquelle le pasteur expliquait pourquoi il racontait son histoire — que cela pourrait aider à remettre la vie des gens sur la voie de la spiritualité.

J'ai l'impression que ses paroles s'adressent directement à moi, pensa-t-elle. Petite fille, Virginia avait eu une éducation religieuse dans la petite ville de Bushton, au Kansas. Mais depuis son divorce, elle s'était éloignée de sa foi. C'est à peine si elle pouvait se souvenir d'une prière. Le soleil se levait et il ne restait plus que quelques heures à Virginia avant ses cours. *Pas aujourd'hui*, pensa-t-elle. Quelque chose lui disait qu'elle devait rencontrer cet homme.

S'éveillant de sa septième intervention chirurgicale en dix jours, Wes ne savait pas quoi faire de cette femme, debout à la porte de sa chambre, les mains encombrées d'un pot de lierre. Ses yeux bruns brillants exprimaient un air timide jusqu'à ce qu'elle sourie — alors tout son visage s'illumina.

« Je voulais juste vous remercier», commença Virginia en cherchant ses mots. *Qu'est-ce que je vais lui dire?*, se demandait-elle. Des douzaines de cartes encombraient la table de nuit et étaient épinglées sur le mur, près du lit. Des fleurs envoyées par des amis, la famille et la congrégation de Wes occupaient tous les coins de la pièce. De toute évidence, elle n'était pas la seule à avoir été touchée par son histoire.

« J'ai lu l'article dans le journal et je me devais de vous dire ce que votre histoire a fait pour moi », dit Virginia. « Elle a changé ma perspective sur ce que je viens de traverser. J'ai vécu une période assez difficile. »

Je dois avoir l'air geignarde. Après tout, cet homme a connu un véritable enfer — bien plus que quelques inquiétudes pour des factures à payer et des examens à réussir. L'expression de Wes la rassura. « Votre histoire m'a aidée à comprendre que je devais retrouver la voie de Dieu. »

Wes examina cette étrangère. Depuis son arrivée à l'hôpital, rares avaient été les moments où il n'avait pas été aux prises avec la douleur. À cet instant, il ne pensait pas à lui, mais à la manière dont il pourrait aider cette femme. « Appartenez-vous à une église? » demanda-t-il.

Virginia fit non de la tête. *C'était si simple. Il est allé droit au problème*, pensa-t-elle et elle s'avança pour lui serrer la main. Wes la prit, mais il la lâcha très vite. *J'espère que je ne suis pas allée trop loin,* pensa-t-elle.

L'intention de Wes n'était pas de fuir. Ce fut un geste instinctif; il se sentait encore blessé et il était épuisé. C'était drôle de penser qu'elle était en train de le remercier. D'une certaine façon, c'était lui qui se sentait mieux.

Moins d'une semaine plus tard, Virginia avait trouvé une église près de chez elle et elle envoya un mot à Wes. Elle lui rendit visite pour la deuxième fois, deux semaines plus tard. Ils comparèrent quelques événements de leurs vies. Ils discutèrent de ses cours et de ses perspectives d'emploi, et ils parlèrent des traitements de physiothérapie de Wes.

Comme c'est facile de lui parler, pensait-elle en rentrant chez elle. Il ne se passait pas quelques jours sans qu'elle lui envoie un mot ou lui rende visite.

Environ deux mois après l'accident, Virginia téléphona à Wes. « Je sors de l'hôpital aujourd'hui! » lui annonça-t-il d'une voix qui cachait difficilement son excitation.

Après avoir raccroché, un sentiment inexplicable s'empara de Virginia. Elle sauta dans sa voiture et se hâta vers le centre hospitalier.

« Que faites-vous ici? » lui demanda Wes, surpris.

« Je ne sais pas exactement. J'ai juste eu le sentiment que je devais être ici », lui répondit Virginia d'une voix hésitante.

« Je suis heureux que vous soyez venue », répondit-il en souriant.

Alors qu'ils approchaient de sa petite église en forme de triangle, les yeux de Wes s'emplirent de larmes. Sur la clôture en fer forgé noire, des douzaines de rubans jaunes fleurissaient telles des fleurs éclatantes. Des enfants de l'école primaire sautaient sur place en faisant des signes de la main à la voiture. Des bannières flottaient au vent avec les mots « Nous vous aimons. Bienvenue chez vous, M. Anderson! »

Virginia sentit les larmes lui monter aux yeux.

Au mois de juin, portant un chapeau et une toge, Virginia descendit fièrement l'allée d'un auditorium pour aller chercher son diplôme. Retenu par des obligations à l'église, Wes lui avait envoyé un bouquet de fleurs accompagné d'une carte de félicitations. Quelques jours plus tard, Virginia, Wes et leurs parents respectifs se rencontrèrent pour souper ensemble. Ils avaient beaucoup de choses en commun. Les parents de chacun d'eux étaient mariés depuis plus de quarante ans et tous deux avaient été élevés dans la religion méthodiste.

« Tu parles même comme moi ! » la gronda gentiment Wes.

« Je parle peut-être d'une voix traînante », répondit-elle en plaisantant, « mais je ne parle pas aussi mal que ça. »

Wes était chez lui, il finissait de boutonner sa chemise et s'apprêtait à se rendre à l'église. Brusquement, il sentit qu'il tombait en arrière. Il atterrit directement sur son moignon et hurla de douleur. Wes passa les neuf jours suivants au lit. Il avait toujours été fier d'être indépendant et fort. Aujourd'hui, il était envahi par le doute et la dépression.

Il commença même à remettre en question sa relation avec Virginia. « Je l'aime beaucoup », déclara Wes à Mike. « Je crains seulement que tout cela ne soit qu'une histoire de pitié. Je n'ai jamais ressemblé à une star hollywoodienne, mais regarde ce que je suis devenu. »

« Wes, tu es toujours la personne que tu étais avant ton accident », répondit Mike. « Ce qui est important, c'est ce qu'il y a à l'intérieur. »

Virginia n'avait pas eu de nouvelles de Wes depuis plusieurs jours. Elle pensait à leur dernière rencontre, une visite au Muir Woods National Monument. *Est-ce que j'ai fait quelque chose de mal ?,* se demandait-elle. Ils avaient parlé ouvertement de son divorce, il y avait de cela huit ans, et de ses efforts pour s'offrir à elle-même et à son fils une meilleure vie. D'habitude, quand elle sortait avec des hommes, elle se demandait avec inquiétude comment cela allait se terminer. Avec Wes, cette question n'avait jamais traversé son esprit. *Il est différent de tous les hommes que j'ai connus*, pensait Virginia.

Quand Wes finit par lui téléphoner, il l'invita à la fête nationale. Il la surprit en venant la chercher avec sa voiture, qui venait d'être adaptée à la perte de sa jambe. Ils s'assirent sous le ciel étoilé et regardèrent les feux d'artifice. « Je commençais à me demander quand je te reverrais », lui dit Virginia.

« Je suis désolé », répondit Wes. « Le fait est que je ne fais pas beaucoup de sorties. Si je sors avec quelqu'un, c'est quelque chose de sérieux pour moi. Je tiens beaucoup à notre amitié et je ne voudrais jamais la mettre en danger. Je... »

Virginia l'interrompit. « Wes, avant que tu continues... »

Wes baissa les yeux. *Elle va me dire qu'il vaut mieux que nous restions des amis.*

« Il faut que tu saches que tu es important pour moi en tant qu'individu. Peu importe que tu aies une jambe ou deux jambes. Pour moi, tu es un homme entier, une personne complète », ajouta Virginia.

Wes l'écoutait avec stupéfaction. « Je t'aime », dit-il, la voix remplie d'émotion.

« Je t'aime aussi », répondit Virginia. Ils s'embrassèrent pour la première fois.

À Pâques, Wes et Virginia aidaient aux préparatifs d'un service qui devait se dérouler en plein air, au lever du soleil. Wes se déplaçait péniblement dans l'herbe mouillée avec sa jambe artificielle et il perdit l'équilibre. Il s'écroula sur le sol, sentant encore la colère, la frustration et le doute l'envahir.

Virginia s'empressa de le rejoindre, mais Wes ne la regarda pas, de peur de ce qu'il pourrait voir dans les yeux de celle qu'il aimait. *De la peur? De la pitié?* Il n'avait jamais douté d'elle, mais il se sentait si vulnérable. Un homme adulte, sans défense.

C'est à ce moment que la vérité lui apparut. *Je n'ai pensé qu'à l'extérieur, alors que c'était l'intérieur qu'il fallait soigner.*

Virginia et un ami aidèrent Wes à se relever. Il était bouleversé et gêné, mais au moins il n'avait pas peur. *C'est ce que je suis, un homme qui tombera parfois, mais qui se relèvera, chaque fois plus fort,* comprit-il.

Le 27 mai 1995, Wes entra par une porte de côté pour se rendre à l'autel de la Carmichael Christian Church. Il était vêtu d'un smoking blanc et tenait une canne noire. Il regarda en direction de l'entrée où Virginia, vêtue d'une robe blanche ornée de perles, s'avançait vers lui, accompagnée de ses parents.

L'église était pleine. Mike Cook procédait à la cérémonie du mariage. « Mieux vaut deux personnes qu'une seule personne », dit Mike en reprenant les paroles d'Ecclésiaste. « Si l'une d'elles tombe, l'autre pourra l'aider à se relever. Mais plaignons celui qui tombe et qui n'a personne pour lui venir en aide. »

À la fin de la cérémonie, Wes était debout devant un escalier qui menait à la congrégation. Main dans la main avec Virginia, il descendit les marches une à une, jusqu'à la dernière.

Un peu plus d'une année auparavant, Wes se demandait quel était le plan de Dieu. Aujourd'hui, il avait la réponse.

Bryan Smith

Marchandises endommagées

Seul un rayon de soleil, dans lequel dansait la poussière, éclairait le bureau du rabbin. Il se renversa dans son fauteuil et soupira en passant sa main dans sa barbe. Il enleva ses lunettes aux montures d'acier et les frotta sur sa chemise de flanelle. Il avait l'esprit ailleurs.

« Bon », dit-il, « vous êtes divorcée. Et maintenant, vous voulez vous marier avec ce bon garçon juif. Quel est le problème? »

Il nicha son menton grisonnant dans sa main et me sourit gentiment.

J'avais envie de hurler : « Quel est le problème? Premièrement, je suis chrétienne. Deuxièmement, je suis plus âgée que lui. Troisièmement, et surtout, je suis divorcée. » Je le regardai dans les yeux, des yeux bruns et doux, et je cherchai mes mots.

Je bégayai : « Ne pensez-vous pas qu'être divorcée, c'est comme être usée… comme une marchandise endommagée? »

Il se calla contre le dossier de son fauteuil et s'étira de manière à regarder le plafond. Il caressait de la main la barbe en bataille qui couvrait son menton et son cou. Puis, il se redressa, s'accouda à son bureau et se pencha vers moi.

« Supposons que vous deviez subir une intervention chirurgicale. Vous avez le choix entre deux médecins. Lequel allez-vous choisir? Celui qui vient de terminer ses études ou celui qui a de l'expérience? »

« Celui qui a de l'expérience », répondis-je.

Un sourire illumina son visage. « Moi aussi », dit-il en me regardant droit dans les yeux. « Dans ce mariage, vous serez celle qui a de l'expérience. Ce n'est pas une mauvaise chose, au contraire.

« Souvent, les mariages ont tendance à aller à la dérive. Les époux sont entraînés dans des courants dangereux. Ils sortent de leur trajectoire et se jettent tête première contre des obstacles. Personne ne s'en rend compte avant qu'il soit trop tard. Je vois sur votre visage la douleur d'un mariage qui a échoué. Dans ce deuxième mariage, vous serez celle qui remarquera que quelque chose ne va pas. Vous crierez quand vous verrez approcher des obstacles. Vous hurlerez à votre compagnon d'être prudent et de faire attention. Vous serez celle qui a de l'expérience », soupira-t-il. « Et, croyez-moi, ce n'est pas une mauvaise chose, bien au contraire. »

Il alla à la fenêtre et jeta un regard entre les lamelles du store. « Ici, personne n'a entendu parler de ma première femme. Je ne veux pas le cacher, mais je n'en fais pas toute une histoire. Elle est morte au début de notre mariage, avant que je ne déménage ici. Aujourd'hui, avant de m'endormir, je pense à tous les mots que je n'ai jamais prononcés. Je pense à toutes les occasions que j'ai laissé passer au cours de ce premier mariage. Et je crois que je suis un meilleur mari pour ma femme actuelle grâce à la femme que j'ai perdue. »

Pour la première fois, je compris la tristesse dans son regard. Je compris pourquoi j'avais choisi de venir parler avec cet homme de mon mariage au lieu de choisir la voie plus facile qui aurait été de nous marier en dehors de nos religions respectives. Le mot « rabbin » signifie professeur. Je sentais qu'il pouvait m'enseigner, voire me donner le courage dont j'avais besoin pour essayer de nouveau, me marier de nouveau et aimer de nouveau.

« Je vais vous marier avec votre David », dit le rabbin. « Si vous me promettez que vous serez celle qui criera quand vous verrez votre mariage en danger. »

Je lui promis que je le ferai et me levai pour partir.

Alors que j'hésitais à franchir la porte, il m'appela : « Au fait, vous a-t-on déjà dit que Joanna est un beau prénom hébreu? »

Seize ans ont passé depuis que le rabbin a célébré notre mariage, par une matinée pluvieuse d'octobre. Oui, j'ai crié plusieurs fois quand j'ai senti que nous étions en danger. J'aurais voulu dire au rabbin combien son analogie m'avait aidée, mais je n'ai pas pu. Il est mort deux ans après notre mariage.

Je lui serai toujours reconnaissante du cadeau inestimable qu'il m'a donné : la sagesse de savoir que *toutes* nos expériences dans la vie ne nous enlèvent pas de la valeur mais nous en donnent, ne nous rendent pas moins capables d'aimer mais davantage capables d'aimer.

Joanna Slan

La prophétie du beignet chinois

Il n'y a pas de surprise plus magique que la surprise d'être aimé. C'est la main de Dieu sur l'épaule de l'homme.

Charles Morgan

J'ai été marié trois fois avant d'atteindre mes sept ans.

Mon frère aîné Gary procédait aux cérémonies dans notre sous-sol. Il savait amuser la famille et les enfants du voisinage avec son imagination. Comme j'étais le plus jeune du groupe, j'étais souvent celui qui faisait les frais de sa créativité.

Quand je pense à ces mariages, je me souviens surtout que toutes les filles que j'ai épousées avaient au moins cinq ans de plus que moi et qu'elles avaient de beaux yeux qui brillaient quand elles riaient. Ces mariages me permirent d'imaginer à quoi cela ressemblerait quand, un jour, je rencontrerais mon âme sœur et ils m'apprirent à savoir la reconnaître grâce à ses beaux yeux.

Je devins pubère assez tard. À quinze ans, j'avais encore peur du sexe opposé; pourtant, je priais tous les soirs pour celle que j'épouserais. Je demandais à Dieu de l'aider à réussir à l'école, à être heureuse et pleine d'énergie — où qu'elle fût et qui qu'elle fût.

J'avais vingt-deux ans quand j'embrassai une fille pour la première fois. À partir de ce moment-là, je rencontrai beaucoup de jeunes femmes charmantes et douées. Je cherchais la fille qui avait fait l'objet de mes prières dans ma jeunesse et j'étais persuadé que je la reconnaîtrais par ses yeux.

Un jour, mon téléphone sonna; c'était ma mère. « Don, je t'ai parlé des Addison qui ont emménagé dans la maison près de chez nous. Clara Addison n'arrête pas de me demander de t'inviter à jouer aux cartes, un soir. »

« Désolé, maman, j'ai un rendez-vous ce soir-là. »

« Comment est-ce possible? Je ne t'ai pas encore dit de quel soir il s'agit », répondit ma mère sur un ton exaspéré.

« Le soir n'a pas d'importance. Je suis certain que les Addison sont des gens charmants, mais je ne vais pas perdre une soirée à socialiser avec des gens qui n'ont pas de filles à marier. »

J'étais têtu à ce point — j'étais persuadé qu'il n'y avait aucune raison pour que j'aille rendre visite aux Addison.

Les années passèrent. J'avais vingt-six ans et mes amis s'inquiétaient pour mon avenir. Ils n'arrêtaient pas de me proposer des rendez-vous avec des inconnues. Plusieurs de ces rencontres furent des fiascos et nuisaient à ma vie sociale. Je me fixai donc quelques règles :

1. Pas de rendez-vous avec une personne recommandée par ma mère (les mères ne comprennent rien au charme et à l'attirance physique).
2. Pas de rendez-vous avec une personne recommandée par une femme (elles sont trop complaisantes les unes envers les autres).
3. Pas de rendez-vous avec une personne recommandée par un ami célibataire (si elle est si formidable, pourquoi ne l'invite-t-il pas?).

Grâce à ces trois règles simples, j'éliminai quatre-vingt-dix pour cent de tous ces rendez-vous avec une inconnue, dont un que me recommanda Karen, une amie de longue date. Elle m'appela pour me dire qu'elle avait fait la connaissance d'une jolie fille qui lui avait fait penser à moi. Elle insista, car elle était persuadée que cela pourrait marcher.

« Désolé, mais c'est contre ma règle numéro deux », fut ma réponse.

« Don, tu es idiot. Tes règles stupides éliminent la fille que tu attends depuis toujours. Mais fais comme tu voudras. Je te donne son nom et son numéro de téléphone. Quand tu changeras d'avis, tu n'auras qu'à l'appeler. »

J'acquiesçai pour que Karen arrête de m'embêter avec ça. Le nom de la fille était Susan Maready. Je ne lui ai jamais téléphoné.

Quelques semaines plus tard, je tombai nez à nez avec Ted, un vieux copain, à la cafétéria de l'université. « Ted », m'écriai-je, « tu as l'air de flotter sur un nuage! »

« Tu vois des étoiles sous mes pieds? » répondit-il en riant. « En fait, je me suis fiancé hier soir. »

« Félicitations! »

« Ouais! À trente-deux ans, je commençais à me demander si je me marierais un jour. » Il sortit son portefeuille de sa poche. « Regarde », dit-il tout à coup sérieux. « Regarde ça. »

C'était une mince bande de papier provenant d'un beignet chinois. Il était écrit : « Vous vous marierez d'ici un an. »

« C'est fou », m'exclamai-je. « Généralement, ils prédisent des choses qui conviennent à tout le monde, comme "Vous avez une personnalité fascinante". Ils ont vraiment couru un risque avec celui-là. »

« Sans blague! Regarde-moi! » s'esclaffa-t-il.

Quelques semaines plus tard, je mangeais dans un restaurant chinois avec mon colocataire, Charlie. Je lui racontai l'histoire de Ted, de la prophétie du beignet chinois et de ses fiançailles. C'est à ce moment-là que le serveur nous apporta nos beignets chinois. Nous ouvrîmes nos beignets, et Charlie éclata de rire devant la coïncidence. Le mien disait : « Vous avez une personnalité fascinante »; et le sien : « Vous ou un ami proche, vous marierez d'ici un an. » Un frisson parcourut mon dos. C'était vraiment étrange. Quelque chose me poussa à demander à Charlie si je pouvais garder sa prophétie. Il me la donna en souriant.

Peu de temps après, Brian, un camarade d'université, me dit qu'il voulait me présenter une jeune femme du nom de Susan Maready. J'étais sûr d'avoir déjà entendu ce nom, mais j'étais incapable de me rappeler dans quelles circonstances. Brian était marié; par conséquent, je n'enfreindrais pas ma « règle » qui m'interdisait d'aller à un rendez-vous organisé par un ami célibataire. J'acceptai son offre de rencontrer Susan.

Je lui parlai au téléphone, et nous décidâmes d'une date pour une promenade à bicyclette et un barbecue. Le jour du rendez-vous arriva. Mon cœur battit très fort dès que je la vis et n'a jamais cessé depuis. Ces grands yeux verts me firent quelque chose que je ne pouvais pas expliquer. Mais, au fond de moi, je savais que c'était le coup de foudre.

Après cette merveilleuse soirée, je me souvins que ce n'était pas la première fois que quelqu'un avait essayé de me faire rencontrer Susan. Je me rappelais maintenant de tout. Son nom était dans l'air depuis longtemps. Dès que j'eus la possibilité de parler à Brian, seul à seul, je le questionnai.

Il avait l'air gêné et essaya de changer de sujet.

« Qu'est-ce qu'il y a Brian? » lui demandai-je.

« Tu n'as qu'à demander à Susan », fut sa réponse.

C'est ce que je fis.

« J'allais te le dire », me répondit-elle. « J'allais te le dire. »

« Allons, Susan. Dis-moi ce qu'il y a! Je ne peux pas supporter ce suspense! » m'écriai-je.

« Depuis des années, je suis amoureuse de toi. Depuis la première fois que je t'ai vu de la fenêtre du salon des Addison. Oui, c'était moi qu'ils voulaient te faire rencontrer. Mais tu as refusé chaque fois que quelqu'un voulait nous présenter. Tu n'as pas permis aux Addison d'organiser une rencontre, tu n'as pas cru Karen quand elle t'a dit que nous nous plairions. J'ai cru que jamais je te rencontrerais. »

Mon cœur débordait d'amour, et je me moquai de moi.

« Karen avait raison. Mes règles étaient stupides », dis-je.

« Tu n'es pas fâché? » s'inquiéta-t-elle.

« Tu veux rire? Je suis impressionné. À partir d'aujourd'hui, je n'ai plus qu'une seule règle pour les rendez-vous arrangés. »

Elle me regarda d'un air bizarre. « Qu'est-ce que ça veut dire? »

« Plus jamais », répondis-je, et je l'embrassai.

Sept mois plus tard, nous étions mariés. Susan et moi sommes persuadés que nous sommes des âmes sœurs. Quand, à quinze ans, je priais pour rencontrer celle qui serait un jour ma femme, elle avait quatorze ans et elle priait pour rencontrer celui qui serait son mari.

Nous étions mariés depuis quelques mois quand Susan me demanda : « Tu veux que je te dise quelque chose de vraiment étrange? »

« Bien sûr. J'adore entendre des choses bizarres. »

« Il y a environ dix mois de ça, avant que je te rencontre, je suis allée à ce restaurant chinois avec des amis et… » Elle sortit de son portefeuille un petit bout de papier provenant d'un beignet chinois, sur lequel était inscrit :

« Vous vous marierez d'ici un an… »

Don Buehner

Le pouvoir de la volonté

Au centre communautaire local, un pasteur venait de terminer sa conférence sur le mariage lorsque trois couples l'abordèrent. Impressionnés par sa présentation, ils lui demandèrent s'ils pouvaient se joindre à son église.

« Êtes-vous mariés? » leur demanda le pasteur. Chaque couple lui affirma que oui et lui demanda de nouveau s'il pouvait se joindre à sa congrégation. « Je suis impressionné par votre sincérité », répondit le pasteur. « Mais je dois m'assurer que votre volonté de vous engager à respecter une discipline spirituelle est réelle. Pour me le prouver, vous devrez passer un test. »

« Nous ferons n'importe quoi », affirmèrent les trois couples.

« Très bien, voici votre test : vous devrez pratiquer l'abstinence conjugale pendant trois semaines. Une abstinence totale. » Les couples acceptèrent et partirent, promettant de revenir au bout de trois semaines.

Trois semaines plus tard, ils rencontrèrent le pasteur dans son bureau. « Je suis heureux de vous revoir », déclara le pasteur. Puis, se tournant vers le premier couple, il demanda : « Alors, comment ça s'est passé? »

« Ça fait presque trente ans que nous sommes mariés », répondit le mari. « Ça n'a donc pas été difficile. »

« Merveilleux! » s'exclama le pasteur. « Bienvenue dans mon église. »

Il se tourna ensuite vers le deuxième couple et il demanda : « Comment vous en êtes-vous sortis avec le test. »

« Je dois reconnaître que ça n'a pas été facile », expliqua la femme. « Nous sommes mariés depuis seulement cinq ans. Nous avons été tentés, mais nous n'avons pas cédé. Je suis heureuse de vous dire que nous avons tenu pendant les trois semaines. »

« Très bien! » s'exclama le pasteur en souriant. « Bienvenue dans mon église. » Le pasteur se tourna enfin vers le troisième couple, qui était nouvellement marié. « Et vous? » demanda-t-il doucement. « Comment ça s'est passé? »

« Eh bien, pasteur, je ne peux pas vous mentir », commença le mari. « Nous nous en sommes bien sortis jusqu'à ce matin, après le petit déjeuner, lorsque ma femme s'est penchée pour ramasser une boîte de céréales qu'elle avait laissé tomber par terre. Nous avons saisi la boîte en même temps, et nos mains se sont touchées. Soudainement, la passion nous a emportés; nous avons succombé à notre désir aussitôt, sur place! »

« J'apprécie votre honnêteté », répondit le pasteur. « Mais vous n'avez pas réussi le test, et j'ai bien peur de ne pas pouvoir vous accepter dans mon église. »

« Ce n'est pas grave, pasteur », répondit le mari. « Nous n'avons également plus le droit de retourner dans ce supermarché non plus. »

Barbara De Angelis, Ph.D.

Nuvite par amour

Par une chaude soirée printanière, sur la base aérienne d'Iraklion, en Crète, je quittai mon dortoir en compagnie d'une amie et décidai d'aller faire un tour à une soirée qui se déroulait sur la base.

Je n'avais pas de petit ami à l'époque et, instinctivement, je parcourus des yeux la foule, à la recherche d'une « occasion ». Mes yeux se posèrent sur Frank.

Je l'avais déjà aperçu sur la base et je l'avais toujours trouvé beau garçon. Il était grand, mince, avec des cheveux noirs bouclés et une moustache. Il ressemblait un peu à Jim Croce. J'allai près de lui et engageai la conversation.

Pendant que nous parlions, je découvris qu'il avait un beau sourire et un accent new-yorkais sexy. (Terriblement exotique pour une fille qui avait grandi dans les champs de maïs de l'Indiana.) Mais je ne fus pas seulement charmée par son accent et son physique. Il était réellement quelqu'un de très gentil : c'était facile de lui parler. Et plus que tout, il me faisait rire.

J'étais tellement captivée par Frank et sa conversation animée que je ne remarquai pas l'agitation autour de nous. Je levai la tête trop tard, mais juste à temps pour voir disparaître en un clin d'œil des corps nus, au coin du bâtiment. Tout le monde riait aux éclats et pointait du doigt en cette direction du bâtiment. Je compris alors ce que je venais de rater.

« Mes premiers nuvites ! » m'écriai-je d'une voix stupéfaite. Puis, je me tournai vers Frank et déclarai d'un ton accusateur : « Je les ai ratés à cause de toi ! »

Frank eut l'air sincèrement contrit. « Je suis désolé. Mais pour toi, je vais leur demander de le refaire. »

Je ne croyais pas qu'il était sérieux, mais je n'eus pas le temps de prononcer un mot. Il se releva et disparut derrière le coin du dortoir.

Quelques minutes plus tard, j'entendis des éclats de rire stridents dans la foule. Je regardai autour de moi et les vis de nouveau. Les deux nuvites, nus comme des vers, traversaient en courant le gazon qui séparait les deux dortoirs. Tels des démons fous, ils disparurent au coin du bâtiment.

Soudain, mes yeux s'écarquillèrent. Un troisième nuvite s'était joint aux deux autres. Il était grand et mince, avec des cheveux noirs et une moustache. Il ressemblait à Jim Croce.

Curieusement, Frank n'avait rien vu. C'est du moins, ce qu'il m'a dit. Il réapparut à mes côtés quelques minutes plus tard, légèrement essoufflé, faisant comme si rien n'était arrivé.

« Merci », dis-je d'un ton pince-sans-rire. « Tu n'avais pas besoin de te donner tout ce mal pour m'impressionner. »

Il haussa les épaules et esquissa un sourire. « Je ne pouvais pas te laisser manquer tes premiers nuvites. »

Que pouvais-je répondre? Il l'avait fait pour moi.

Ce fut le début de notre relation. Il y a maintenant vingt-trois ans de cela et nous avons deux merveilleux grands enfants. Frank ne fait plus le nuvite. Il pense que cela ne convient plus à son style de vie. Il est maintenant un programmeur respecté.

Oh, il se met encore tout nu — mais en privé.

Toutes les personnes qui connaissent l'histoire de notre première rencontre pensent que j'ai vu quelque chose qui me plaisait ce soir-là, quand Frank est passé près de moi, complètement nu. C'est vrai…

Sa personnalité.

Carole Bellacera

L'amour est ma façon de montrer de la gratitude.

Un cours sur les miracles

Limonade et histoire d'amour

Alors que je roulais sur une route déserte de l'Indiana, j'aperçus une pancarte avec les mots « Limonade fraîche » et je m'arrêtai. Je m'attendais à trouver une station-service ou un dépanneur, mais, à ma grande surprise, je découvris une maison. Un vieil homme était assis sur la véranda. Je sortis de ma voiture; il n'y avait personne d'autre. Le vieil homme me servit de la limonade et me proposa un siège. Tout était si paisible. On ne voyait que les champs, le ciel et le soleil.

Nous parlâmes de la température et de mon voyage. Il me demanda si j'avais une famille. Je lui expliquai que je venais de me marier et que j'espérais avoir des enfants, un jour. Il sembla heureux de voir qu'il y avait encore des gens pour qui la famille était importante. Puis, il me raconta son histoire. Je la raconte ici, car c'est une histoire que je ne peux pas oublier.

« C'est spécial d'avoir une famille. Une famille, c'est une femme, des enfants, une maison à vous. Le sentiment de paix qu'on éprouve quand on sait qu'on a fait ce qu'il fallait. Je me souviens, quand j'avais votre âge », commença-t-il.

« Je ne croyais pas que j'aurais la chance de me marier. Je n'ai pas eu la meilleure famille. Mais j'ai persévéré. Mon père et ma mère m'aimaient terriblement, et je comprends aujourd'hui que leurs intentions à mon égard étaient bonnes. Mais ce fut difficile. Je me souviens que souvent, la nuit, je restais allongé à penser : *Je ne vais pas courir le risque de divorcer. Une femme? Une famille? Pourquoi?* J'étais convaincu que jamais je ne voudrais courir le risque de faire subir un divorce à mes enfants.

« À l'adolescence, je découvris de nouvelles émotions. Mais je ne croyais pas à l'amour. Je pensais que ce n'était qu'un engouement. J'avais une amie d'école. En 2e secondaire, elle avait le béguin pour moi. Nous avions peur de révéler à l'autre ce que nous ressentions, alors nous ne faisions que parler. Elle devint ma meilleure amie. Pendant tout le secondaire, nous ne nous sommes pas quittés d'une semelle », me dit-il avec un large sourire.

« Elle aussi avait des problèmes dans sa famille. J'essayais de l'aider, je faisais de mon mieux pour m'en occuper. Elle était intelligente et belle. D'autres garçons avaient envie d'elle. Et, entre vous et moi, moi aussi j'avais envie d'elle », dit-il en souriant.

« Une fois, nous avons essayé de sortir ensemble, mais nous nous sommes disputés et nous sommes restés sans nous parler pendant neuf mois. Puis un jour, en classe, j'ai eu le courage de lui écrire un mot. Elle m'a répondu, et les relations sont redevenues, petit à petit, comme avant. Puis, elle est allée à l'université. »

Le vieil homme remplit de nouveau mon verre de limonade.

« Elle est allée étudier au Minnesota, où habitait son père », racontait-il. « Je voulais jouer au baseball. Toutes les universités m'ont refusé les unes après les autres. J'ai finalement été accepté par une petite université... Au Minnesota ! C'était le comble de l'ironie. Quand je le lui ai annoncé, elle a pleuré. Nous avons commencé à nous fréquenter. Je me rappelle quand je l'ai embrassée pour la première fois, dans ma chambre. Mon cœur battait si fort. J'avais peur qu'elle me rejette. Mais notre relation est devenue de plus en plus forte. Après l'université, j'ai joué au baseball. Puis, je me suis marié avec cette fille adorable. Jamais je n'aurais pensé me rendre à l'autel. »

« Avez-vous eu des enfants? » demandai-je.

« Quatre! » me répondit-il en souriant. « Nous les avons envoyés à l'école, nous leur avons enseigné la meilleure façon de vivre, du mieux que nous pouvions. Maintenant, ils sont tous adultes et ils ont des enfants. J'ai été fier en les regardant tenir leurs bébés dans leurs bras. J'ai compris à ce moment-là que la vie vaut la peine d'être vécue.

« Quand les enfants sont partis de la maison, ma femme et moi avons voyagé ensemble, en nous tenant la main comme à l'époque où nous étions jeunes. Voyez-vous, c'est là toute la beauté de l'amour. Au fil des ans, mon amour pour elle a continué de grandir. Nous nous sommes disputés, bien sûr! Mais l'amour a toujours été le plus fort. Je ne sais pas comment expliquer l'amour que je ressentais pour ma femme », dit-il en secouant la tête. « Il ne nous a jamais quittés. Il n'est jamais mort. Il n'a fait que devenir plus fort. J'ai fait beaucoup d'erreurs dans ma vie, mais je n'ai jamais regretté de l'avoir épousée.

« Dieu sait comme la vie peut être difficile », dit-il en me regardant dans les yeux. « Je suis peut-être trop vieux pour comprendre comment fonctionne le monde d'aujourd'hui, mais quand je regarde en arrière, je suis sûr d'une chose : rien au monde n'est plus fort que l'amour. Ni l'argent, ni l'avidité, ni la haine ou la passion. Les mots ne peuvent pas le décrire. Les poètes et les écrivains essaient. Ils en sont incapables parce que c'est différent pour chacun de nous. J'aime tant ma femme, voyez-vous. Longtemps après ma mort, je serai allongé dans ma tombe, à ses côtés; et cet amour brûlera encore de toute sa flamme. »

Il regarda mon verre vide. « Je vous ai certainement retenu plus longtemps que vous ne le souhaitiez », s'excusa-t-il. « J'espère que vous avez aimé votre limonade. N'oubliez pas une chose : aimez votre femme et vos enfants de toutes vos forces, chaque jour de votre vie. Parce que vous ne savez jamais quand cela peut cesser. »

En retournant vers ma voiture, je compris la portée de ses paroles. Je fus frappé par une évidence : cet homme, qui, selon moi, devait avoir perdu sa femme depuis des années, l'aimait encore passionnément. Un sentiment de profonde tristesse m'envahit quand je pensai à la solitude de ce vieil homme, seul avec sa limonade et un client de temps à autre.

Alors que je reprenais la route, je ne pouvais m'empêcher de penser à lui. Tout à coup, je me rappelai que je n'avais pas payé la limonade. Je fis demi-tour. En approchant de la maison, je vis une voiture garée dans l'allée. Je fus surpris; quelqu'un d'autre s'était arrêté.

Je marchai jusqu'à la véranda. L'homme avait disparu. Je me penchai pour déposer l'argent sur sa chaise et jetai par inadvertance un regard à travers la fenêtre. Le vieil homme était au milieu du salon, il dansait avec sa femme.

Je secouai la tête. Je venais de comprendre. Sa femme n'était pas décédée. Elle s'était seulement absentée pour l'après-midi.

Des années ont passé depuis cet évènement et je continue de penser à cet homme et sa femme. J'espère vivre comme eux et transférer notre amour à nos enfants et à nos petits-enfants, comme eux. J'espère être un grand-père qui dansera doucement avec sa femme, conscient qu'en effet rien n'est plus beau que l'amour.

Justin R. Haskin

Une deuxième chance

L'évolution du véritable amour n'est jamais sans embûche.

Songe d'une nuit d'été

Le temps bondit à pas de géant. Année après année. D'abord, quelques années. Puis, dix ans. Enfin, vingt ans. Des mariages les avaient séparés. Des enfants étaient nés. Leurs vies avaient pris des chemins différents, et pourtant si parallèles. En l'honneur de leur amour, Ingrid Kremeyer descendait les escaliers de la cave et sortait une vieille boîte, rangée entre les pots de confiture et les cageots de pommes.

Elle contenait la preuve de leur amour, enfermé dans cette boîte depuis si longtemps. Des dizaines de lettres, écrites pendant les trois années que dura leur correspondance, au lendemain de la Seconde Guerre mondiale, affirmaient et réaffirmaient leur amour.

La boîte était venue d'Allemagne aux États-Unis avec Ingrid et l'avait suivie partout où elle était allée pendant presque un demi-siècle. Les mots qui y étaient écrits attestaient d'un amour si fort et si profond que même le temps ne pourrait le vaincre.

Même si le soldat américain lui avait envoyé une lettre commençant par « Chère Jane », elle n'avait jamais douté un instant qu'il l'aimait — même après quarante-sept ans. Elle avait su tout de suite, et en était toujours persuadée, qu'ils étaient faits l'un pour l'autre, même si cela ne devait être que dans leurs cœurs et leurs souvenirs.

Ils s'étaient rencontrés pendant le pont aérien de Berlin, en 1949. Ingrid travaillait avec plus d'une douzaine de soldats américains dans un bureau d'une base de l'armée de l'air, dans le nord de l'Allemagne. Ingrid parlait anglais. Ses talents de secrétaire étaient donc très en demande, et elle n'avait pas de problème pour comprendre les soldats qui ne cessaient de l'inviter.

La plupart des soldats avaient seulement dix-neuf ans, son âge. Pas assez vieux pour qu'elle les prenne au sérieux. Cependant, un soldat américain avec un charmant accent traînant du sud l'intriguait. Lee Dickerson avait vingt-six ans, il était mince et attirant. Elle attendit. Des mois passèrent sans qu'il l'invite. Elle essayait de ne pas avoir trop d'espoir. Peut-être avait-il une petite amie.

Une fête fut organisée pour les célébrations du 4 juillet. Ingrid ne savait plus quoi faire devant les nombreuses invitations qu'elle avait reçues. Au moins sept soldats lui avaient demandé de les accompagner. Au moins sept soldats furent rejetés. Elle avait espéré que Lee l'invite, mais elle ne l'avait pas vu de la journée.

Il fit son apparition seulement quelques minutes avant la fin de leur journée de travail. Peut-être allait-il l'inviter. Il le fit. Elle lui expliqua qu'elle aimerait beaucoup aller avec lui, mais qu'elle était gênée de se trouver face à face avec les soldats dont elle avait refusé l'invitation.

« Je m'en occupe », répondit Lee. Il ouvrit la porte et demanda aux autres : « Que diriez-vous si on accompagnait Ingrid à la fête ce soir? » C'est ainsi qu'Ingrid s'y rendit, au bras de Lee et escortée d'une petite brigade. La nuit était divine. Des feux d'artifice éclataient autour d'eux et des feux d'artifice s'allumèrent dans les yeux d'Ingrid et de Lee. Quand il la raccompagna chez elle, il l'embrassa pour lui dire bonne nuit.

« C'est à ce moment-là que j'ai su que c'était l'homme de ma vie », déclara Ingrid. « Dès le début. Je savais ce qu'il allait dire avant même qu'il ouvre la bouche. »

À partir de cette nuit-là, ils furent inséparables. Mais il ne leur restait que quatre mois avant que Lee ne soit renvoyé aux États-Unis.

Dès qu'ils avaient un moment libre, ils le passaient ensemble. Ils se promenaient dans les parcs ou les bois, allaient au club de la base ou emmenaient ses parents souper au restaurant. Il n'y avait pas grand-chose à faire à cette époque à Celle. Ils passaient beaucoup de temps dans des snack-bars où ils parlaient, parlaient.

Leur conversation devint plus sérieuse. Lee voulait se marier. Il voulait qu'elle déménage aux États-Unis. Ingrid était ravie, et ses parents aussi. Ils ne se doutaient pas de ce que l'avenir leur réservait. Le jour où Lee partit pour retourner à la base de l'armée de l'air d'Hamilton, au nord de San Francisco, ils se sentirent très seuls; mais ils étaient heureux de savoir que, dès que Lee aurait tout réglé, il ferait venir sa future épouse dans son pays.

Le pilote ignorait, quand il quitta l'Allemagne, que le personnel militaire n'avait pas le droit de parrainer des immigrants aux États-Unis. Lee était exaspéré. Il décida de retourner en Allemagne pour voir Ingrid. Il demanda qu'on l'y envoie en poste. On lui refusa à plusieurs reprises. Enfin, sa demande fut acceptée. Il avait la chance de retourner en Allemagne. Il pensait avoir gagné.

Mais il eut plutôt une crise d'appendicite aiguë et fut hospitalisé pour plusieurs jours. Son unité partit sans lui. Puis, sa nouvelle affectation arriva. Il allait être transféré en Asie pour trois ans — peut-être pour servir en Corée du Sud.

Il prit alors la décision la plus difficile de sa vie et eut l'impression « de se couper la main ». Il écrivit à celle qu'il aimait : « Cela ne devait pas se faire. Je te souhaite d'être heureuse. »

Puis, ils se perdirent de vue.

Des années plus tard, Ingrid alla vivre chez une tante à New York, laquelle essaya très vite de la marier à un homme âgé et riche. Lorsque Ingrid refusa, elle suscita une telle colère chez sa tante, qu'elle prit l'avion en direction de Chicago pour retrouver la seule autre personne qu'elle connaissait aux États-Unis. C'était un ancien camarade de classe. Ils étaient très amis; et même s'il savait qu'elle aimait un autre homme, il l'épousa.

Ted et Ingrid eurent deux fils, Karl et Kevin. Leur mariage fut heureux, mais Ingrid descendait régulièrement à la cave pour lire les lettres de Lee. Elle pleurait beaucoup et se demandait comment cela aurait été si elle avait pu se marier avec Lee.

Elle pleura encore plus quand, une veille de Noël, Ted mourut soudainement à l'âge de quarante et un ans. Il avait été un bon mari qui comprenait son amour pour Lee. Elle décida alors de ne même pas envisager une autre relation sérieuse et de se consacrer à élever ses deux fils.

Vingt ans passèrent sans que l'amour n'entre de nouveau dans sa vie. Elle avait beaucoup de temps pour y penser.

Lee avait pris sa retraite de gestionnaire de contrats d'aviation chez Hughes, s'était marié deux fois et avait deux enfants. Il avait passé les dernières années dans le désespoir, à regarder sa deuxième femme mourir à petit feu d'un cancer du pancréas. Il n'avait plus de raison de vivre. Il vivait dans la solitude et avait l'impression de survivre, jusqu'à l'arrivée de la lettre.

Il ouvrit la lettre. C'était Ingrid. « J'étais stupéfait. Après toutes ces années, elle est aux États-Unis. Voici de nouveau ma chance », fut sa première pensée.

Il s'assit, écrivit une réponse qu'il posta le jour même.

Peut-être aurait-il de nouveau la chance d'aimer. Il n'avait jamais oublié Ingrid.

La dernière fois qu'Ingrid avait ouvert la boîte et pleuré une heure durant, elle était à la retraite et donnait des cours d'allemand à temps partiel, à l'université. Cette fois-ci, une idée la figea sur place. Pourquoi n'essaierait-elle pas de le retrouver? Ses fils étaient adultes et avaient quitté la maison.

Qui savait ce qu'il était devenu? Pendant la semaine qui suivit, elle ne cessa de penser comment retrouver Lee. Elle se rappela qu'un de ses étudiants était un officier de la marine à la retraite. Elle lui posa la question, et il lui donna le numéro de téléphone du Naval Retirement Center.

Elle s'assit au téléphone, le souffle coupé et attendit environ une demi-heure, pendant que son cœur battait la chamade. Oui, il y avait trois Lee Dickerson à la retraite, un pour chaque corps de l'armée. De toute évidence, celui qu'elle recherchait était celui qui avait servi dans l'armée de l'air. Le Centre ferait suivre une lettre pour 5 dollars. Dans sa lettre, Ingrid écrivit qu'une « force irrésistible » la poussait à le retrouver et termina en déclarant : « J'espère que je ne me ridiculise pas en cédant à cette irrésistible envie. »

Quand la lettre arriva dans sa boîte aux lettres, Ingrid sut immédiatement qu'elle venait de Lee. Quarante-sept plus tard, il ne lui fallut qu'une seconde pour reconnaître son écriture. Elle l'ouvrit et, dans son excitation, eut de la difficulté à la lire. Il lui disait qu'il était à la retraite, veuf et émerveillé qu'elle l'ait retrouvé. Il ne l'avait pas oubliée et pensait qu'il était plus opportun d'écrire plutôt que de téléphoner pour « rallumer une ancienne flamme ».

Ingrid se retrouva brutalement quarante-sept ans en arrière. Elle était toujours la jeune fille de dix-neuf ans pleine d'entrain qu'il avait rencontrée en Allemagne, il y avait si longtemps de cela. Elle n'avait jamais perdu cette spontanéité. Elle se précipita sur le téléphone et composa le numéro de Lee. Elle fut déçue d'avoir le répondeur au bout du fil. Il la rappela le soir même, et ils parlèrent pendant des heures. Ils décidèrent de se retrouver à Tucson. Ingrid devait s'y rendre pour voir son fils, et le fils de Lee vivait aussi en Arizona.

Pendant le trajet en avion, Ingrid commença à paniquer. Qu'est-ce qu'elle avait fait là? Était-elle devenue folle? Mieux valait qu'elle oublie tout cela, tout de suite. Si seulement elle pouvait sortir de cet avion. Mais elle se calma dès qu'elle eut débarqué.

Elle aperçut Lee, toujours grand et presque aussi mince que lorsqu'il avait vingt-six ans. Ils tombèrent dans les bras l'un de l'autre et passèrent une semaine ensemble à essayer de rattraper le temps. « Quarante-sept ans venaient de disparaître. Nous nous sommes serrés et embrassés. Puis, nous sommes restés dans les bras l'un de l'autre », raconta Ingrid.

Quand ils retournèrent chacun chez eux, ils se mirent d'accord pour se revoir dans quelques mois, mais Ingrid ne put supporter cette nouvelle séparation. « C'était trop dur », rageait-elle. « C'était tout simplement horrible. »

Lee prit l'avion pour Chicago, mais il s'inquiétait de ce qu'allaient penser les voisins de cette visite.

La réponse d'Ingrid fut : « Qu'est-ce qu'on en a à faire des voisins? On s'en moque des voisins. »

Ingrid et Lee savaient qu'ils allaient se marier cette fois. Rien ne les en empêcherait.

Ils se marièrent le 2 janvier 1997, à bord du vieux navire de ligne, le *Queen Mary*, à Long Beach. Elle portait une robe blanche qui lui arrivait aux genoux. Il avait revêtu son uniforme de l'armée de l'air des États-Unis avec la feuille de chêne de major. Elle avait soixante-sept ans, et lui soixante-quatorze ans. Quelque soixante-dix personnes assistèrent à leur mariage : membres de leur famille, amis et représentants des médias internationaux vivement intéressés par cette histoire d'amour d'une deuxième chance.

Une fois les caméras et leurs amis partis, Lee et Ingrid s'installèrent dans la vie tranquille qu'ils avaient essayé de commencer quand ils étaient si jeunes.

Le dernier chapitre de cette histoire se termine sur ces mots d'Ingrid :

« Mon cœur déborde de bonheur, car je sais que mon premier amour sera aussi mon dernier. »

Diana Chapman

3

L'ENGAGEMENT

Maintenant, joignez vos mains,
et avec vos mains, vos cœurs.

William Shakespeare

Cinquante façons d'aimer votre partenaire

1. Commencez par vous aimer vous-même.
2. Commencez chaque jour par une étreinte.
3. Servez-lui son déjeuner au lit.
4. Dites « Je t'aime » chaque fois que vous vous quittez.
5. Faites-lui volontiers et souvent des compliments.
6. Appréciez et célébrez vos différences.
7. Vivez chaque journée comme si c'était la dernière.
8. Écrivez des lettres d'amour surprises.
9. Plantez une graine ensemble et cultivez-la jusqu'à sa maturité.
10. Sortez une fois par semaine.
11. Envoyez-lui des fleurs sans raison.
12. Acceptez et aimez la famille et les amis de l'un et de l'autre.
13. Écrivez des « Je t'aime » sur des bouts de papier et placez-les en évidence partout dans la maison.
14. Arrêtez-vous pour sentir les roses.
15. Embrassez-vous spontanément.
16. Admirez de beaux couchers de soleil ensemble.
17. Excusez-vous sincèrement.
18. Pardonnez.
19. Souvenez-vous du jour où vous êtes tombés amoureux et recréez-le.
20. Tenez-vous la main.
21. Dites « Je t'aime » avec vos yeux.
22. Laissez-la pleurer dans vos bras.
23. Dites-lui que vous comprenez.
24. Buvez à votre amour et à votre engagement.

25. Faites quelque chose de stimulant.
26. Laissez-la vous guider quand vous êtes perdu.
27. Riez de ses plaisanteries.
28. Appréciez sa beauté intérieure.
29. Faites les tâches ménagères de l'autre pendant une journée.
30. Souhaitez-lui de beaux rêves.
31. Manifestez votre affection en public.
32. Faites-lui des massages amoureux sans retenue.
33. Commencez un journal d'amour et écrivez-y les moments spéciaux.
34. Rassurez votre partenaire sur ses peurs.
35. Marchez ensemble pieds nus sur la plage.
36. Demandez-lui de vous épouser de nouveau.
37. Dites oui.
38. Respectez-vous mutuellement.
39. Soyez le plus grand admirateur de votre partenaire.
40. Donnez à votre partenaire l'amour qu'il veut recevoir.
41. Donnez à votre partenaire l'amour que vous voulez recevoir.
42. Manifestez de l'intérêt pour le travail de l'autre.
43. Travaillez ensemble à un projet.
44. Construisez un fort avec des couvertures.
45. Balancez-vous aussi haut que vous le pouvez sur une balançoire, au clair de lune.
46. Faites un pique-nique dans la maison, un jour de pluie.
47. Ne vous couchez jamais en colère.
48. Placez votre partenaire en premier dans vos prières.
49. Embrassez-vous avant de vous endormir.
50. Dormez en petites cuillères.

Mark et Chrissy Donnelly

J'ai sauvé la vie de mon mari

Là où règne l'amour, l'impossible devient possible.

Proverbe indien

C'était le 30 août 1991, par un beau vendredi matin. Mon mari, Deane, et moi profitions de vacances en camping planifiées depuis longtemps dans le pittoresque Glacier National Park, dans le Montana. C'était notre premier voyage depuis que Deane avait pris sa retraite au début de l'année. La semaine précédente, nous étions venus en voiture de Holland, la ville où nous habitions au Michigan, et avions visité divers endroits du parc. Aujourd'hui, nous entamions notre huitième jour de randonnée. « Est-ce que tu as ton appareil photo? » demandai-je à Deane alors que nous sortions de notre petite camionnette de camping. « Et les biscuits pour le dîner? »

Deane me fit oui de la tête, avec un grand sourire. « Oui, chérie », répondit-il d'un ton taquin en tapotant son petit sac à dos. « Nous pouvons y aller. » Nous marchions sans nous presser, appréciant l'air vif du matin. Nous suivîmes un étroit sentier qui grimpait le long de la pente escarpée et boisée. De temps à autre, nous faisions un signe de la main à d'autres campeurs que nous croisions sur le sentier, ou nous examinions le sommet d'une montagne au loin avec mes jumelles. À midi et demi, nous avions presque parcouru cinq kilomètres et nous décidâmes de nous arrêter pour dîner.

Après un repas frugal composé de fromage et de biscuits salés, nous allions redescendre vers notre campement quand un autre couple déboucha du sentier. Il descendait dans notre direction.

« Vous ne devriez pas arrêter maintenant », cria la femme. « Allez au moins voir le lac Iceberg. C'est seulement à trois kilomètres plus haut. » Sur ses conseils, nous décidâmes de poursuivre notre ascension.

Il était presque trois heures de l'après-midi quand nous atteignîmes le lac Iceberg. L'eau était calme, transparente comme du cristal. Sur la rive une variété étourdissante de fleurs sauvages aux couleurs vives enchantait notre regard. Comme en attestait son nom, de petits icebergs flottaient sur sa surface calme.

« Oh ! Deane, regarde comme c'est *beau* ! » m'exclamai-je. Debout, main dans la main, nous nous laissâmes imprégner par la tranquillité et la beauté de l'endroit.

Après quarante-trois ans de mariage, Deane était à la fois mon meilleur ami et mon mari. Nous avions grandi tous les deux dans la même petite ville du Dakota du Sud. Deane avait seize ans et moi seulement huit mois de moins quand nous nous sommes rencontrés à l'école du dimanche. Nous avons commencé à nous fréquenter et nous nous sommes mariés trois ans plus tard.

Après cinq enfants et quinze petits-enfants, nous avions hâte de vivre notre « âge d'or » ensemble, pendant que nous étions encore assez jeunes pour sortir et entreprendre des choses. À soixante-deux ans, je me sentais à peine différente que lorsque j'avais trente-cinq ans. En dépit de quelques problèmes de santé — Deane souffrait d'un diabète latent, et je prenais tous les jours des médicaments pour le cœur — nous étions en bonne forme, car nous étions restés actifs.

Nous quittâmes le lac Iceberg et revînmes sur nos pas pour redescendre vers notre campement. Nous parcourûmes une centaine de mètres et arrivâmes à un endroit où le sentier tournait. Nous sortions de la courbe du sentier quand Deane, le souffle coupé, posa sa main sur mon bras en guise d'avertissement. Je vis immédiatement pourquoi : juste devant nous, une femelle grizzly et ses deux oursons effarouchés venaient de faire volte-face et nous regardaient.

Ils étaient à moins de douze mètres. La mère avait les oreilles pointées vers l'avant, les yeux fixés sur nous. Sans bouger, elle émit un grognement et chassa ses oursons.

« Mon Dieu », murmura Deane. « Lorraine, nous avons un problème. »

Deux soirs auparavant, nous avions assisté à une conférence d'un garde forestier sur les ours sauvages. « Baissons-nous en position fœtale, comme il nous l'a dit », murmurai-je. « Il faut que nous fassions le mort. » Je m'agenouillai, baissai la tête, protégeai ma nuque avec mes mains. À côté de moi, je sentis que Deane faisait la même chose.

Mais c'était trop tard. Je jetai un coup d'œil pardessus mon coude et vis l'ourse attaquer. Avec un grognement de mécontentement, elle bondit en avant. Elle montrait les crocs. Ses muscles faisaient des vagues sous son épaisse fourrure. Elle couvrit la distance qui la séparait de nous en trois bonds puissants. L'air furieux, elle ouvrait et fermait bruyamment ses mâchoires. À mes côtés, Deane poussa un profond soupir. Puis, j'entendis son cri d'agonie. L'ourse s'était précipitée sur lui et plongeait ses crocs dans son dos et dans son estomac. Elle le saisit dans ses mâchoires et le secoua violemment d'un côté et de l'autre, puis le lança sauvagement en l'air comme une poupée de chiffon. Il était à peine retombé sur le sol qu'elle était de nouveau sur lui, grognant et mordant. Je pouvais entendre ses dents pénétrer dans la peau de mon mari et le craquement de la chair pendant qu'il hurlait de douleur.

Toujours recroquevillée à genoux, je ne parvenais pas à croire ce qui arrivait. Du coin de l'œil, je vis l'énorme animal le projeter de nouveau en l'air. Puis, il planta ses crocs dans la main droite de Deane et l'entraîna vers les fourrées.

« Oh! Mon Dieu! Pas ça! » sanglotait Deane.

Ses cris désespérés me firent réagir. Je me levai en adressant une prière silencieuse à Dieu et me dirigeai vers mon mari. Je n'avais rien pour me battre, pas même un bâton. Mais, en voyant mes jumelles sur le sol, je me souvins d'un conseil que m'avait donné mon père, des années auparavant, quand je travaillais sur notre ferme qui était souvent visitée par des loups et des coyotes. « Si, un jour, tu es coincée par un animal sauvage, essaie de le frapper au museau. C'est son point le plus sensible. » Je décidai d'utiliser mes jumelles comme arme et de passer à l'attaque sur-le-champ.

J'enroulai solidement la courroie de plastique autour de ma main droite. Puis, je balançai les jumelles haut dans les airs et attaquai l'ourse. Le premier coup l'atteignit directement sur son large museau noir. Quand je sentis le choc des jumelles, je les tirai brusquement vers le bas, faisant exprès de les frotter contre son museau. Elle tressaillit, mais ne lâcha pas Deane. Je priai Dieu de me venir en aide, levai les jumelles et frappai de nouveau. J'entendais mon mari gémir à mes pieds, mais je n'osais pas le regarder. Je me concentrai sur le museau de l'ourse, et utilisai toutes les compétences que j'avais acquises en jouant au golf et au fer à cheval pour que chaque coup compte.

Enfin, après le quatrième coup, l'ourse lâcha la main de Deane; furieuse, elle se dressa du haut de ses deux mètres. Je me retrouvai face à face avec elle, le corps ensanglanté de mon mari allongé sur le sol entre nous. Mes yeux étaient à quelques centimètres de sa poitrine; ses mâchoires brunes seulement à quelques centimètres de mon visage. Je résistai à l'envie de la regarder dans les yeux, car je craignais que cela la mette encore plus en colère. Je pris une respiration et lançai de nouveau les jumelles.

Cette fois, elle sembla voir le coup arriver. Elle poussa un grognement étouffé, se laissa retomber sur ses quatre pattes et fit marche arrière dans les buissons. J'hésitai un instant, certaine qu'elle reviendrait pour m'attaquer. Mais quand j'entendis le craquement des branches alors qu'elle se frayait un chemin dans les buissons épais, je compris qu'elle était vraiment partie.

Je regardai Deane, allongé sur le sol. Il était couché sur le dos, le visage tourné du côté opposé à moi et le bras droit toujours tendu au-dessus de sa tête. Il gémissait doucement et respirait difficilement. Je l'entendais haleter. Quand je découvris toute l'étendue de ses blessures, je fus glacée de frayeur. Ses vêtements étaient en lambeaux. Une plaie béante à la poitrine laissait voir les muscles et les tissus graisseux. Son épaule droite, presque entièrement arrachée, saignait abondamment. Des vaisseaux sanguins et des nerfs pendaient de son poignet droit. Sa jambe droite, son dos et son estomac portaient de vilaines entailles. Je me penchai sur lui et essayai d'attirer son attention.

« Deane! Deane, c'est moi! » Il ne réagit qu'à mon troisième appel. Il tourna la tête dans ma direction. Ses yeux exprimaient une terrible souffrance. Il ne semblait pas me reconnaître. « L'ourse est partie », dis-je.

Il posa doucement son regard sur mon visage. « Non! Elle est toujours là », murmura-t-il. En larmes, je l'assurai qu'elle était partie.

« Il faut que j'arrête l'hémorragie », lui dis-je. « Reste tranquille. Tout va bien aller. »

Par chance, je connaissais les techniques de secourisme. Deane avait été pompier volontaire à temps partiel pendant plus de vingt-huit ans, et nous avions souvent étudié ses manuels de secourisme ensemble. J'essayai de ne pas paniquer et de garder les idées claires. Du sang jaillissait de son épaule et de son poignet droits, ce qui pouvait signifier qu'une artère avait été coupée. Je devais poser un garrot.

Mon soutien-gorge! Sans hésiter, j'enlevai mon chandail et détachai mon soutien-gorge, puis j'entourai l'élastique autour de la partie supérieure de son bras en faisant attention de bien l'ajuster. Si au bout d'une minute le sang continuait à couler, j'utiliserais un morceau de bois pour le serrer encore plus. *Mieux vaut qu'il perde un bras plutôt que de mourir d'une hémorragie*, pensai-je.

Puis, je regardai sa poitrine. J'avais des mouchoirs en papier dans la pochette que je portais accrochée à ma taille. Je me dépêchai de les poser sur la plaie béante. Mais cela ne suffit pas pour arrêter le sang de couler. J'avais besoin d'autres bandages. J'allais prendre mon chandail que j'avais abandonné sur le sol quand Deane parla d'une voix faible : « Sers-toi de ma chemise. Aidemoi à l'enlever. »

Je l'aidai à se redresser, tirai sa chemise par-dessus sa tête et déchirai le tissu pour en faire des bandes de dix centimètres. Après avoir pansé sa poitrine et sa jambe, je vérifiai comment allait son bras droit. Le sang commençait à coaguler.

Merci, mon Dieu, pensai-je en desserrant un peu le garrot. Je pus alors remettre mon chandail.

Maintenant que le danger immédiat était écarté, je sentis mon calme et ma détermination faiblir. Et si l'ourse décidait de revenir? Deane ne pouvait pas marcher, et nous étions à plus de six kilomètres de notre camp. Je décidai de crier. C'était la meilleure solution. Des randonneurs pourraient nous entendre. Je criai à plusieurs reprises : « Au secours! À l'aide! »

Cela me sembla une éternité avant que deux jeunes hommes apparaissent au détour du sentier. Ils coururent immédiatement jusqu'à nous.

« Un ours a attaqué mon mari. Pouvez-vous courir chercher de l'aide? »

«J'y vais », répondit un des hommes.

Deane parla brièvement : « Dites aux gardes forestiers d'envoyer un hélicoptère. » Le jeune homme acquiesça de la tête et partit en courant.

Après son départ, les conseils du garde forestier me revinrent en mémoire : « Ne courez jamais quand vous vous déplacez dans une zone habitée par les ours. C'est une invitation directe à l'attaque. » Je me mordis la lèvre d'inquiétude. J'adressai une prière silencieuse : *Mon Dieu, protégez-le.*

Pendant l'heure qui suivit, onze personnes redescendirent le sentier. Parmi elles, trois infirmières, un médecin et un technicien médical d'urgence d'une patrouille de ski. Une infirmière donna à Deane des cachets contre la douleur pendant que les autres pansaient ses plaies avec des pansements propres. Cela semblait une coïncidence extraordinaire de voir autant de professionnels de la santé dans cette région montagneuse isolée.

Une ambulance aérienne emmena Deane à l'hôpital. Comme il n'y avait pas assez de place pour moi et les techniciens ambulanciers, je suivis dans un petit hélicoptère.

Quand j'arrivai à l'hôpital, Deane était déjà sur la table d'opération. Il était presque trois heures du matin quand le chirurgien sortit de la salle d'opération et m'attira à part. Il semblait épuisé.

« Votre mari a eu de la chance », dit-il en secouant la tête. « L'ourse a manqué plusieurs artères et plusieurs nerfs importants. Il revient vraiment de loin. » Il ajouta qu'il faudrait plus de deux cents points de suture pour recoudre les blessures profondes de Deane.

Neuf jours plus tard, Deane sortit de l'hôpital, et nous retournâmes à la maison.

Maintenant que nous sommes de retour chez nous, au Michigan, il m'arrive encore d'avoir de la difficulté à croire ce qui nous est arrivé. Quand je pense qu'il s'en est fallu de peu pour que je perde Deane, les larmes me montent aux yeux. Mais grâce à la clémence de Dieu et à une solide paire de jumelles, mon mari est toujours vivant.

Lorraine Lengkeek
Tel que raconté à Deborah Morris

Composez le 911

Marie et Michael se fréquentaient depuis quelque temps et s'estimaient chanceux de pouvoir se parler presque tous les jours dans le cadre de leur travail, même si leurs métiers étaient différents. Michael est policier, et Marie est répartitrice au 911. Tous deux travaillent pour le même service de police.

Un jour, Marie reçut un appel de Michael. Il l'appelait de sa voiture de patrouille.

« Marie, pourrais-tu me rendre un service? »

« Bien sûr », répondit Marie, heureuse d'avoir une excuse pour lui parler.

« Pourrais-tu vérifier l'immatriculation d'un véhicule? Je dois savoir si le chauffeur a des mandats impayés. »

« D'accord, peux-tu me l'épeler? »

Michael épela la plaque d'immatriculation en utilisant les noms de code comme le font tous les policiers, afin que Marie soit certaine d'avoir compris la bonne lettre.

Victor
Echo
Uniforme
Xénophobe

Tango
Uniforme

Michael
Echo
Papa
Oscar
Uniforme
Sierra
Echo
Romeo

Comme elle le faisait des centaines de fois par jour, Marie écrivit les lettres sur une feuille de papier, les entra dans son ordinateur et commença à vérifier les immatriculations. Au début, elle fut intriguée, l'immatriculation était trop longue, même pour une plaque personnalisée. Ses collègues, qui étaient au courant des intentions de Michael, durent lui demander : « Marie, que veulent dire toutes ces lettres quand tu les mets bout à bout? »

Cette fois, Marie lut seulement les premières lettres de chaque mot à voix haute : V-E-U-X-T-U-M-E-P-O-U-S-E-R?

Elle poussa un cri de joie. Elle était tout sourire quand elle rappela Michael qui, de toute évidence, ne suivait pas de « conducteur » fictif avec une plaque d'immatriculation fictive, mais attendait anxieusement la réponse de Marie dans sa voiture de patrouille.

« Michael, tu m'entends? » commença Marie. « Oui, Marie », répondit-il d'une voix légèrement nerveuse.

« Ma réponse est affirmative! »

Marie n'hésita pas une seconde à répondre à une telle demande en mariage!

Cynthia C. Muchnick
101 Ways to Pop the Question

Jusqu'à ce que la mort nous sépare

Nombreux sont les amants qui font le vœu de rester unis pour toujours, dans la vie et dans la mort, mais je ne crois pas avoir entendu personne dont la loyauté et la dévotion étaient aussi fortes que celles de Mme Isidor Straus.

C'était en 1912. Mme Straus et son mari faisaient partie des passagers du voyage fatidique du *Titanic*. Peu nombreuses furent les femmes qui coulèrent avec le bateau, mais Mme Straus fut l'une des rares femmes qui périrent, pour une raison bien simple : elle ne pouvait pas se résigner à l'idée de laisser son mari.

Voici le récit que fit Mabel Bird, la femme de chambre de Mme Straus, après avoir été sauvée :

« Quand le *Titanic* commença à couler, les enfants et les femmes pris de panique furent les premiers à embarquer dans les canots de sauvetage. M. et Mme Straus étaient calmes et réconfortaient les passagers. Ils aidèrent beaucoup d'entre eux à monter dans les canots. »

« Sans eux, je serais morte noyée. J'étais dans le quatrième ou cinquième canot », déclara Mabel. « Mme Straus m'a fait monter dans le canot et a posé d'épaisses pèlerines sur moi. »

Puis, M. Straus supplia sa femme de rejoindre sa femme de chambre dans le canot. Mme Straus allait monter dans le canot. Elle avait un pied sur le plat-bord, mais brusquement, elle changea d'avis, fit volte-face et remonta sur le bateau qui était en train de sombrer.

« Je t'en prie, monte dans le canot! » supplia son mari.

Mme Straus regarda droit dans les yeux l'homme avec lequel elle avait passé la plus grande partie de sa vie. Celui qui avait été son meilleur ami, le seul vrai compagnon de son cœur, celui qui avait toujours réconforté son âme. Elle saisit son bras et attira son corps tremblant contre elle.

« Non », aurait répondu Mme Straus d'un ton de défi. « Je ne monterai pas dans le canot. Nous avons connu ensemble de nombreuses années de bonheur. Nous sommes vieux maintenant. Je ne te laisserai pas. Où tu iras, j'irai. »

Ce fut la dernière image que l'on eut d'eux, debout sur le pont, se tenant bras dessus, bras dessous. Cette femme remplie de dévotion, courageusement accrochée à son mari; et ce mari débordant d'amour serrant sa femme d'un bras protecteur, pendant que le bateau coulait. Ensemble pour toujours...

Barbara De Angelis, Ph.D.

Le seul véritable amour digne de ce nom est l'amour inconditionnel.

John Powell

Comment je t'aime?

Celui ou celle qui aime croit en l'impossible.

Elizabeth Barrett Browning

Elizabeth Barrett et Robert Browning étaient deux poètes talentueux destinés à écrire une correspondance parmi les plus fascinantes de la littérature anglaise. Robert Browning n'avait jamais vu Elizabeth Barrett; et ils ne connaissaient rien l'un de l'autre en dehors des œuvres qu'ils avaient publiées. Tous deux étaient connus et admirés pour leur œuvre, et ils respectaient le travail de l'autre. Cette admiration servit de catalyseur quand Robert écrivit à Elizabeth, le 10 janvier 1845, une lettre dans laquelle il lui faisait part de son admiration.

> *J'aime vos vers de tout mon cœur, chère Mademoiselle Barrett. Ma lettre n'est pas une lettre de compliment désinvolte. Je l'écrirais peu importe que votre génie soit reconnu ou non. Il s'agit d'un aboutissement naturel et gratuit des choses. Depuis le jour où, la semaine dernière, j'ai lu vos poèmes pour la première fois, je ris lorsque je me rappelle comment j'ai tourné et retourné dans ma tête ce que je pourrais vous dire de l'effet qu'ils produisent sur moi. Dans l'émerveillement que leur première lecture a produit chez moi, j'ai pensé que, pour cette fois, je sortirais de mon plaisir purement passif quand j'apprécie réellement une œuvre, et que je justifierais soigneusement mon admiration. Peut-être même, comme tout loyal artiste dans le même domaine que vous, devrais-je tenter et trouver des erreurs, et ainsi vous faire du bien dont vous pourriez être fière*

par la suite! Mais je n'y suis pas parvenu. Vos poèmes m'habitent désormais... En vous écrivant, directement et pour la première fois, mes sentiments grandissent. J'aime en effet ces livres de tout mon cœur, et je vous aime aussi.

Elizabeth avait alors trente-neuf ans. En mauvaise santé, elle sortait rarement de chez elle. Elle était dominée par son père, qui interdisait à tous ses enfants de se marier.

En raison des objections de ce dernier, ils s'écrivirent en secret. Leur correspondance fut si prolifique qu'elle remplit deux épais volumes. Dans ses célèbres *Sonnets portugais*, Elizabeth relata la naissance de leur amour, depuis leur premier contact. On trouve dans ces sonnets toutes les émotions humaines : le bonheur, les regrets, la confiance et toujours l'amour.

Au mois de mai 1845, Elizabeth permit enfin à Robert de lui rendre visite. Par la suite, ils se rencontrèrent en secret une fois par semaine. Au mois de septembre, elle écrivit : « Vous m'avez émue beaucoup plus profondément que je n'aurais pu l'imaginer... Dorénavant, je suis entièrement à vous, mais jamais je ne vous ferai du mal. »

Ils continuèrent à se rencontrer pendant une autre année; ils correspondaient de façon journalière, parfois même deux fois par jour. Après avoir refusé les avances de Robert, ses lettres et ses visites surent gagner son cœur, et ils devinrent amants.

Robert insista pour qu'elle l'épouse et vienne vivre en Italie. Elizabeth hésita, puis finit par accepter après mûre réflexion. Tous deux savaient que le père d'Elizabeth s'opposerait à leur mariage. Ils se marièrent en secret le 12 septembre 1846 et, une semaine plus tard, ils quittèrent l'Angleterre pour l'Italie. Ils allèrent d'abord à Pise, puis à Florence, avant de s'installer dans leur maison, la Casa Guidi.

Jamais elle ne revit son père, et jamais son père ne lui pardonna. Toutes les lettres qu'elle lui écrivit lui furent retournées sans avoir été ouvertes.

Sans cette relation amoureuse, le monde n'aurait probablement jamais pu lire et apprécier des mots tels que ceux-ci :

Comment je t'aime? Laisse-moi te le dire.
Je t'aime du fond de mon être.
Mon âme, quand elle ne se sent pas regardée,
Devient essence et découvre l'état de grâce.
Je t'aime dans le quotidien des jours,
À la lumière du soleil et des bougies.
Je t'aime librement,
Comme on se bat pour un droit.
Je t'aime purement,
Comme dans un état de félicité.
Je t'aime avec passion
De toute la force de mes vieux chagrins.
Je t'aime avec toute la ferveur de mon enfance.
Je t'aime avec un amour que je croyais perdu.
Je t'aime avec l'ampleur
Des sourires et des larmes de toute ma vie!
Et, si Dieu le veut,
Je t'aimerai encore plus fort après la mort.

Lilian Kew

Tante Esther Gubbins

Seule la plupart du temps et reconnaissante que l'un de ses yeux puisse encore lui servir, l'épouse lit beaucoup, surtout des livres écrits par d'autres femmes qui racontent des histoires avec lesquelles elle peut sympathiser. Un crayon à la main, elle tourne les pages et souligne les passages intéressants. Avant, elle aurait souligné ces passages pour les partager avec son mari.

Elle continue à le faire, une habitude depuis longtemps établie. Quand un de ses fils ou une de ses filles lui rend visite, il ou elle peut s'attendre à ce qu'elle lui montre un article voisin de la page éditoriale, ou à entendre la voix insistante de sa mère lui dire : « Écoute ça… » avant de lui lire des passages du dernier livre ou magazine qu'elle a lu.

Certaines citations, cependant, sont trop personnelles et ne peuvent être partagées. Elle les écrit dans un carnet. Tel est le cas de ces quelques lignes d'Elizabeth Jolley dans *Cabin Fever* où une femme y déclare : « Une fois de plus, je ressens ce désir profond de faire partie d'un couple uni par le mariage, de m'asseoir auprès du feu en hiver, en compagnie de l'homme qui est mon mari. Ce désir est si intense que, si j'écris sur un bout de papier le mot "mari", mes yeux s'emplissent de larmes. Le mot "femme" est encore pire. » Elle ne lira pas cette citation à l'un de ses enfants. Pourquoi ces lignes la font-elles souffrir?

Cela commença par la première photo d'un album de mariage usé par le temps. Ils sont là, tous les deux. Ils tournent le dos à l'autel et regardent l'église bondée de membres de leur famille et d'amis. Ils sourient, d'un sourire incertain. La mariée ne portait pas de lunettes ce jour-là. Pour elle, tout était flou — lumière des bougies, innombrables poinsettias et visages supposés être amicaux.

Ils marchèrent jusqu'à la porte de l'église et attendirent que les personnes présentes défilent devant eux. Collègues et amis d'école manifestaient leur désir de les voir heureux par des plaisanteries maladroites. Certains membres de leur famille n'étaient pas heureux de ce mariage. Une des mères avait déjà quitté l'église et sanglotait dans une voiture. L'autre se tenait debout, entourée de personnes compatissantes qui lui faisaient leurs condoléances. Ces deux femmes étaient de bonnes personnes et vous auraient assuré qu'elles souhaitaient ce qu'il y avait de mieux pour leur enfant. Elles avaient travaillé dur pour leur donner ce qu'il y avait de mieux. Mais elles donnaient à ces mots un sens bien à elles. Dans ces temps difficiles, cela signifiait rester à la maison pour aider à faire vivre la famille, et non partir pour se marier.

Une petite femme énergique fut la dernière personne à s'approcher des jeunes mariés. Elle sourit en prenant leurs mains dans les siennes. Quand elle les félicita, elle ne les appela pas par leurs noms, mais « mari » et « femme ».

« Je suis tante Esther Gubbins. Je suis venue vous dire que vous allez avoir une vie agréable et que vous serez heureux. Vous travaillerez dur et vous vous aimerez. » Elle prononça ces paroles doucement, avec application, en les regardant chacun à leur tour. Puis, elle disparut à une vitesse surprenante pour une femme de sa corpulence et de son âge. Ils montèrent et partirent dans la Buick 1938 qu'ils avaient empruntée. Avec l'argent que leur avait prêté le frère du marié, ils purent passer quelques jours dans un centre touristique situé dans un parc national. Le lendemain soir, assis devant un feu de bois, ils passèrent en revue les événements de leur journée de mariage. Cela commença par la chemise de location trop grande et la jaquette de location trop étroite. Ils se souvinrent des vœux de bonheur de leurs amis, de l'angoisse mal dissimulée de leur mère et enfin du message étrange de la femme qui se faisait appeler tante Esther Gubbins. « Qui est tante Esther Gubbins? Est-ce la sœur de ta mère ou de ton père? » s'enquit l'épouse. « Comment? Ce n'est pas ta tante? » demanda le mari. « Je ne l'avais jamais vue avant. » Ils se posèrent des questions à son sujet. Peut-être tante Esther Gubbins s'était-elle trompée d'église ou d'heure, et les avait-elle pris pour d'autres personnes. Ou encore, elle était peut-être une vieille dame qui aimait pleurer à des mariages et qui était à l'affût d'annonces de mariages dans les bulletins paroissiaux?

Avec le temps et la naissance d'innombrables petits-enfants, trop nombreux selon les normes d'aujourd'hui, leurs mères se réconcilièrent et manifestèrent à nouveau leur affection. L'une confectionna des piles de vêtements de jeux pour les enfants avec des restes de tissu de coton gaufré qui avait servi pour ses robes d'intérieur. L'autre crocheta et tricota des bonnets, des mitaines, des chandails et des écharpes. Leurs pères s'étaient toujours bien entendus. Ils parlaient de politique et se racontaient des histoires de leur enfance, quand ils étaient jeunes immigrants dans cette ville hostile. La vie de ce couple fut banale. On pouvait décrire le mari comme un homme taciturne et réservé. La femme était plus exubérante, plus extravertie.

Curieusement, à cette époque où les rôles étaient bien définis, ni l'un ni l'autre ne demandait « Qui doit faire ça? » ou n'affirmait « C'est pas mon travail! » Tous les deux répondaient aux besoins auxquels il fallait répondre quand le temps le permettait ou lorsque l'occasion se présentait. Ils s'entraidaient : quand l'un d'eux suivait un cours, l'autre l'aidait à faire une recherche, ou elle l'aidait à préparer un exposé oral. Tour à tour, ils fouillaient dans la pharmacie au milieu de la nuit pour trouver les gouttes qui soulageraient les maux d'oreilles d'un enfant, triaient le linge qui s'amoncelait constamment dans le panier à linge sale.

De retour à la maison après une dure journée de travail, il lui arrivait de crier « Ma femme! Je suis de retour! » Et elle se retenait de donner libre cours à des plaintes tout à fait justifiées pour crier d'un coin de la maison : « Mon mari! Je suis contente! »

Leurs enfants étaient une source de grand bonheur. Des enfants comme les autres? Non, pas pour leurs parents, qui les aimaient. De façon démesurée? Seulement si vous pensez que l'amour devrait être soigneusement mesuré, et que les enfants qui en reçoivent trop sont des enfants gâtés.

De temps à autre, habituellement aux alentours de la date de leur anniversaire de mariage, ils reprenaient leur vieille discussion sur tante Esther Gubbins. Une discussion qui témoignait du fossé qui sépare le réel de l'imaginaire, le pragmatisme du romantisme. Il soutenait que la madame Gubbins en question s'était trompée de mariage. Elle maintenait que tante Esther — aucune des personnes questionnées ne la connaissait et elle était inconnue dans cette communauté paroissiale où tout le monde se connaissait — n'était pas venue à ce mariage pour rien. Elle était venue en mission. Les enfants prenaient parti avec enthousiasme : l'esprit terre à terre contre les doux rêveurs.

Maintenant, il était mort, et elle était seule. La femme repensait à sa vie. Elle se demandait ce qu'elle reviendrait chercher pour sauver des flammes si une théière ou une casserole oubliée sur le feu brûlait toute la maison, alors qu'elle aurait l'esprit ailleurs. Le camée de sa mère, les photos de son mari entouré de ses petits-enfants, la clé du coffre, quarante-sept dollars cachés dans un vieux sucrier?

Non. Elle reviendrait chercher une enveloppe jaunie et usée qu'elle gardait depuis longtemps. Elle, une femme qui souvent ne sait pas où sont les choses et qui passe beaucoup de temps à les chercher, sait exactement où trouver ce morceau de papier : sous une pile de serviettes en broderie anglaise qu'elle utilise seulement pour les grandes occasions. Un soir, le mari s'était endormi dans son fauteuil. Il somnolait sur l'épais roman d'espionnage qu'il lisait. Elle lui avait écrit un mot sur le dos d'une enveloppe qu'elle avait déposée dans son livre. « Mon mari, je suis chez notre voisine, Mme Norton, pour l'aider à calculer les remboursements de son assurance-maladie. »

Le lendemain matin, elle vit qu'il avait écrit sous le message qu'elle lui avait laissé : « Ma femme, tu m'as manqué. Tu as cru que je dormais, mais je reposais seulement mes yeux et je pensais à cette femme qui nous a parlé à l'église, il y a longtemps. J'ai toujours pensé qu'elle n'avait rien d'un messager envoyé du ciel; mais peu importe, le moment est venu d'arrêter de nous demander si elle venait du ciel ou de la paroisse voisine. L'important est que, qui qu'elle fût, tante Esther Gubbins avait raison. »

Katharine Byrne

L'amour sans paroles

De retour à la maison après un séjour de quatre jours à l'hôpital, je déclare avec véhémence que je dois, telle une absolue nécessité, me laver les cheveux, tout de suite. Ce n'est pas vraiment nécessaire, mais… Une salle de bain chaude et pleine de vapeur me paraît l'endroit idéal pour me cacher de la peur qui étrangle mon cœur.

J'ai repoussé le moment inévitable tout le temps que je me suis déshabillée, puis encore un peu, le temps de plonger mon corps dans l'eau chaude savonneuse. Mais je ne peux plus le retarder. Je laisse mon regard glisser doucement sur mon corps, jusqu'à l'endroit vide où j'avais l'habitude de voir mon sein gauche.

Ce n'est plus qu'un hématome… vert et jaune, rempli de points de suture noirs recouverts de sang séché. Quel outrage! C'est brutalement hideux.

Très vite, je concocte mentalement les plans les plus farfelus pour que mon mari, Jim, ne me voie plus jamais nue. Une passion mutuelle a toujours été une force de notre mariage. Mais maintenant, tout ça semble fini.

Comment pourrais-je le séduire avec ce corps déformé et mutilé? Je n'ai que quarante-trois ans et j'ai tellement honte de ce corps qui m'a trahie. Je m'allonge dans le bain, des vagues de tristesse déferlent sur moi.

La porte de la salle de bain s'ouvre, et Jim se fraie un chemin jusqu'à moi, à travers mon épais nuage d'apitoiement. Sans un mot, il se penche pour déposer délicatement ses lèvres sur chacune de mes paupières. Il sait que c'est la façon intime de nous dire « je t'aime » que je préfère. Toujours en silence, sans hésiter, il se penche plus bas. Je me raidis, rassemble mes forces, dans l'attente de la répugnance qu'il ne pourra pas me dissimuler.

Jim regarde directement ma blessure et embrasse doucement les points de suture. Une fois. Deux fois. Trois fois. Il se redresse et m'adresse un sourire amoureux. Il m'envoie un baiser du bout des doigts, la deuxième façon de nous dire « je t'aime » que je préfère. Puis, il ferme doucement la porte derrière lui.

De chaudes larmes de reconnaissance roulent sur mes joues et tombent doucement dans l'eau du bain. L'hématome sur ma poitrine est toujours là. Mais celui que j'avais au cœur a disparu.

Margie Parker

Inséparables

En amour, les heures deviennent des mois, et les jours des années. La moindre petite absence devient une éternité.

John Dryden

À la fin, quand les statistiques sur leur histoire d'amour ont été compilées, un détail stupéfiant est ressorti : Paul et Linda McCartney ont passé presque toutes leurs nuits ensemble.

En trente ans, ils n'ont été séparés qu'un seul jour. Linda voyageait avec les Beatles et les autres groupes de Paul. Il l'accompagnait quand elle partait en tournée, faire la promotion de ses livres de photographies et de ses livres de cuisine.

Chez eux comme en voyage, ils dormaient sous le même toit, mêlant leur respiration, leur sueur et leurs souvenirs.

Un soir, quelques jours avant que j'apprenne la mort de Linda McCartney, je soupais dans une ville étrangère avec une vingtaine de collègues journalistes.

Nous étions, pour la plupart, venus à la conférence sans nos familles.

Pendant le souper, nous parlions de choses et d'autres, comme le font de leur mieux des personnes qui ne se connaissent pas. J'avais l'impression de manquer de spontanéité, de ne pas être moi-même.

Mais l'homme assis près de moi semblait vrai. Il regardait souvent en direction de sa femme, assise un peu plus loin de l'autre côté de la table, plongée dans sa propre conversation.

Il me dit que, lorsqu'il était jeune, il avait parcouru le monde, assoiffé d'aventure. Il couvrait les guerres et les cataclysmes. Deux mariages avaient échoué. Il s'était rangé, et marié une troisième fois. Puis, il avait passé l'année dernière en Afrique du Sud.

Sa femme ne pouvait pas être avec lui, sauf pour de brefs séjours. Elle avait un métier passionnant, ici.

Aujourd'hui, alors qu'il approchait la soixantaine, il aurait adoré retourner en Afrique du Sud. Mais quelque chose de nouveau le retenait.

Il me dit : « Je veux être avec elle. Je veux dormir avec elle tous les soirs. »

J'avalai ce que j'avais dans la bouche, acquiesçai de la tête et déclarai : « La vie est courte. »

C'est drôle, quand on est jeune, on dit « la vie est courte » pour justifier ses aventures, géographiques ou sentimentales. Quand on est plus vieux, on dit la même chose pour se justifier de rester à la maison avec la personne qu'on aime.

Ce type de relation semble étouffant pour certaines personnes. Elles veulent de l'espace. Elles craignent d'être dévorées ou anéanties si elles s'enferment dans un couple trop rigide.

Au début de mon mariage, c'est ce que je ressentais. Notre travail nous séparait souvent. Il partait à l'étranger. Je partais à l'étranger. Cela nous semblait stimulant; et quand nous ne sentions pas trop la solitude, cela nous semblait même sain. Nous avions une bonne métaphore : nous traversions la vie dans des bateaux différents qui, quand ils le pouvaient, jetaient l'ancre dans le même port.

Aujourd'hui, notre plus grand désir est d'attacher nos petits canots à la même bouée, de nous balancer ensemble, nuit après nuit.

Nos amis, eux aussi, ont évolué dans ce sens.

Que s'est-il passé?

Tout d'abord, vous comprenez, ce n'est pas la même chose de se raconter en détail au téléphone ce qu'on a fait pendant la journée que de passer la journée ensemble. Côte à côte, la vie vous arrive en même temps. Vous avez les mêmes souvenirs, dont les détails finissent par vous appartenir à tous les deux.

Séparés, vous fabriquez vos propres souvenirs. Peu importe leur importance, ils ne sont que des histoires pour la personne qui n'était pas là.

De plus, quand vous retournez dans votre passé, vous comptez trop de semaines et de mois gaspillés dans des endroits stupides pour des raisons insignifiantes. Et quand vous vous tournez vers l'avenir, vous n'avez pas besoin de regarder bien longtemps pour voir que la fin est proche, de plus en plus proche.

Vers la cinquantaine, vous avez parfois l'impression qu'il ne vous reste plus que quelques jours à vivre.

Quand j'étais enfant, mes amis et moi avions un jeu. Nous faisions comme si une bombe nucléaire se dirigeait sur nous. Il ne nous restait plus que dix minutes à vivre. Qu'allions-nous faire? Où irions-nous? Quelle main voudrions-nous tenir quand la fin arriverait?

Paul et Linda McCartney y ont pensé très tôt et s'y sont tenus pendant trente ans. Entourés de musique, de rires et de moments heureux, j'ai le sentiment qu'ils ont oublié qu'un jour, ils devraient lâcher prise.

Susan Ager

4

Se comprendre l'un l'autre

Rien que vous puissiez
accomplir, atteindre ou acheter
ne surpassera la paix, la joie
et le bonheur de vivre en communion
avec la personne aimée.

Drs Evelyn et Paul Moschetta

La liste

Aimer, c'est investir notre bonheur dans le bonheur d'une autre personne.

Gottfried Wilhelm Van Lubreitz

Comme le film arrivait à sa fin, tout le monde se mit à parler. La chaleur du feu dans le foyer, le scintillement des lumières de Noël et les rires de la famille me firent sourire de contentement. Dès que maman demanda « Qui veut…», la pièce se vida plus vite que les gradins d'un stade à la fin d'une partie de soccer où les favoris ont perdu.

Mon ami, Todd, et moi étions les seuls dans la pièce. Avec un air surpris, il me demanda ce qui se passait. Je vis l'air amusé de ma mère et je répondis à Todd : « Nous allons mettre de l'essence dans la voiture de maman. »

Il s'étonna : « Il gèle dehors, et il est presque 23 heures. »

Je souris et lui dis : « Eh bien! il vaudrait mieux que tu enfiles ton manteau et tes gants. »

Nous nous dépêchâmes de gratter le givre qui recouvrait le pare-brise et nous engouffrâmes dans la voiture. En route vers la station-service, Todd me demanda de lui expliquer pourquoi nous allions chercher de l'essence pour maman à cette heure de la nuit. En riant, je lui expliquai : « Quand mes frères, mes sœurs et moi nous retrouvons tous pour fêter Noël à la maison, nous aidons papa à aller faire le plein d'essence pour maman. C'est devenu un jeu entre nous. Nous savons exactement quand maman va le demander; et les derniers à rester dans la pièce doivent y aller. »

« Tu te moques de moi! » fut sa réponse.

« Il n'y a aucun moyen d'y échapper », dis-je.

Pendant que le réservoir se remplissait, nous frappions dans nos mains et sautions sur place pour nous réchauffer. « Je ne comprends toujours pas. Pourquoi ta mère ne fait pas le plein d'essence de sa voiture elle-même? »

Les yeux hilares, je lui répondis : « Je sais que ça paraît insensé, mais laisse-moi t'expliquer. Maman n'a pas fait de plein d'essence depuis plus de vingt ans. Papa le fait toujours pour elle. » Todd me demanda, l'air déconcerté, si papa ne trouvait pas ennuyeux de toujours devoir faire le plein d'essence de la voiture de maman. Je secouai la tête et dis simplement : « Non, il ne s'est jamais plaint. »

« C'est stupide », déclara Todd.

« Non, pas vraiment », lui expliquai-je patiemment. « Quand je suis venue passer les fêtes de Noël à la maison, en deuxième année d'université, je pensais que je savais tout. J'étais alors pour l'indépendance des femmes. Un soir, j'emballais les cadeaux avec maman. Je lui dis que, lorsque je serais mariée, mon mari m'aiderait à faire le ménage, la lessive, la cuisine et tout le reste. Puis, je lui demandai si elle en avait marre parfois de faire la lessive et de laver la vaisselle. Elle me répondit calmement que ça ne la dérangeait pas. J'avais de la difficulté à la croire. Je commençai à lui faire un sermon. Je lui déclarai que nous étions dans les années 90 et je lui parlai de l'égalité des sexes.

« Maman m'écouta patiemment. Puis, après avoir mis de côté le ruban, elle me regarda droit dans les yeux. "Un jour, ma chérie, tu comprendras." Cela ne fit que m'irriter encore plus. Je n'y comprenais rien du tout. Je lui demandai donc des éclaircissements. Maman sourit et elle commença à m'expliquer.

“Dans un mariage, il y a des choses que tu aimes faire et des choses que tu n'aimes pas faire. Alors, toi et ton partenaire discutez des petites choses que vous êtes prêts à faire l'un pour l'autre. Vous partagez les responsabilités. Ça ne me dérange vraiment pas de faire la lessive. Bien sûr, ça me prend du temps, mais je le fais pour ton père. Par contre, je n'aime pas faire le plein d'essence. L'odeur des vapeurs me dérange, et je n'aime pas être dehors dans le froid. Alors, ton père le fait toujours pour moi. Ton père fait l'épicerie, et je fais la cuisine. Il tond le gazon, et je fais le ménage. Je pourrais te donner des centaines d'autres exemples. Tu vois, dans un mariage, il n'y a pas de liste. On fait des choses pour rendre la vie de l'autre plus facile. Si tu considères que c'est une façon d'aider la personne que tu aimes, tu ne deviendras pas ennuyée de faire la lessive ou la cuisine, ou quoi que ce soit d'autre, parce que tu le fais par amour.”

« Au cours des années, j'ai souvent réfléchi à ce que maman m'avait dit. Elle a une excellente vision du mariage. J'aime la manière dont papa et maman prennent soin l'un de l'autre. Et tu sais? Quand je serai mariée, je ne veux pas tenir de liste moi non plus. »

Sur le chemin du retour, contrairement à son habitude, Todd resta silencieux. Après avoir éteint le moteur, il se tourna vers moi et prit mes mains dans les siennes. Il me souriait, et ses yeux scintillaient.

« Quand tu voudras, je ferai le plein d'essence pour toi », murmura-t-il d'une voix douce.

Marguerite Murer

Rester en contact

Dieu se manifeste dans les détails.

Ludwig Mies van der Rohe

Ma femme, Lisa, et moi faisions des pieds et des mains pour sortir le petit journal hebdomadaire que nous publiions à Guthrie, en Oklahoma. J'écrivais, et Lisa vendait des espaces publicitaires. Souvent le soir, nous travaillions bien après minuit alors que le reste de la ville et nos enfants dormaient.

Lors de telles soirées, nous nous écroulions dans notre lit. Quelques heures plus tard, nous étions debout. Je mangeais mes céréales, buvais un grand verre de soda et partais pour Oklahoma City et l'imprimeur. Lisa veillait à ce que nos cinq enfants s'habillent et envoyait les trois aînés à l'école avec leur boîte à lunch. J'étais si fatigué que je n'avais pas envie de conduire. Lisa était si fatiguée qu'elle n'avait pas envie de faire quoi que ce soit.

« Il fait vingt degrés, et le soleil brille. Une autre belle journée en perspective », annonça joyeusement l'animateur à la radio. Je n'y accordai aucune attention.

Ce que je ne pouvais pas ignorer, c'était cette envie pressante de soulager ma vessie. Je compris que je ne pourrais pas attendre d'être en ville. Alors, je m'arrêtai à l'aire de repos de l'autoroute, à quelques kilomètres seulement de la maison.

Pendant ce temps, malgré son état d'épuisement, Lisa se livrait à une forme d'art avec laquelle elle n'était que trop familière. Elle téléphonait aux compagnies de services publics, leur expliquait pourquoi nous étions en retard dans nos paiements, et les suppliait de lui accorder un jour de plus d'eau chaude et d'air climatisé. Elle chercha et composa le numéro de la compagnie d'électricité.

Je descendais de la voiture quand j'entendis sonner le téléphone public. J'étais tout seul sur l'aire de repos. Je regardai aux alentours et criai : « Quelqu'un peut répondre au téléphone », comme je le faisais à la maison.

Cela devait être un faux numéro. Je me surpris à murmurer : « Pourquoi pas? » Je me dirigeai vers le téléphone et décrochai le combiné.

« Allô? » Au bout du fil, le silence, suivi d'un cri.

« Thom! Qu'est-ce que tu fais à la compagnie d'électricité? »

« Lisa? Peux-tu m'expliquer pourquoi tu appelles le téléphone public d'une aire de repos? »

Nous nous écriâmes tout à tour : « C'est incroyable », suivi de « C'est à vous donner froid dans le dos. » Je m'attendais à voir arriver Rod Serling qui nous parlerait de la cinquième dimension.

Nous restâmes au téléphone, et nos exclamations se transformèrent en une conversation. Une vraie conversation tranquille, sans interruption, comme nous n'en avions pas eue depuis longtemps. Nous parlâmes même de la facture d'électricité. Je lui dis de dormir un peu. Elle me dit d'attacher ma ceinture de sécurité et d'arrêter de boire du soda.

Je n'avais pas envie de raccrocher. Nous avions partagé une expérience extraordinaire. Même si les numéros de téléphone de la compagnie d'électricité et du téléphone public n'avaient qu'un seul chiffre différent, le fait que je fus là quand Lisa avait téléphoné dépassait toutes les probabilités. La seule explication que nous pouvions donner était Dieu. Lui seul pouvait savoir ce dont nous avions besoin par-dessus tout ce matin-là : la voix de l'autre. Il nous avait mis en contact.

Cet événement marqua le début d'un changement subtil dans notre famille. Nous nous sommes demandé comment nous avions pu nous laisser prendre à ce point par notre travail et confier à des étrangers le soin de mettre au lit nos enfants. Comment avais-je pu m'asseoir chaque matin à la table à déjeuner et ne jamais dire bonjour?

Deux ans plus tard, nous avions abandonné le journal qui avait pris toute la place dans notre vie, et j'avais un nouvel emploi... Je travaillais pour la compagnie de téléphone. N'allez pas me dire que Dieu n'a pas le sens de l'humour.

Thom Hunter

Un seul mot nous libère du poids et de la souffrance de la vie. Ce mot est « amour ».

Sophocle

Des rôles inversés

Mary était mariée à un macho. Tous deux travaillaient à temps plein, mais il ne faisait rien dans la maison et surtout pas les travaux ménagers.

« *Ça* », disait-il, « c'est le travail des femmes. »

Mais un soir, en rentrant du travail, Mary découvrit que les enfants avaient pris leur bain. La machine à laver le linge était en route et une lessive séchait dans le sèche-linge. Le repas était sur le feu et la table était joliment mise. Des fleurs venaient compléter le tableau.

Elle fut surprise et demanda ce qui se passait. Elle apprit que Charley, son mari, avait lu un article dans un magazine qui prétendait que les femmes travaillant en dehors de la maison seraient plus romantiques si elles n'étaient pas si fatiguées de faire tous les travaux ménagers en plus de leur emploi à temps plein.

Le lendemain, elle s'empressa de raconter ce qui s'était passé à ses amies au travail. « Et comment ça s'est terminé? » fut leur question.

« Eh bien! le repas fut merveilleux. Charley a débarrassé la table, il a aidé les enfants à faire leurs devoirs, a plié le linge et a tout rangé. »

« Oui, mais après? » voulurent savoir ses amis.

« Ça n'a pas marché », dit-elle. « Charley était trop fatigué. »

The Best of Bits & Pieces

Une situation serrée

Parfois, les souvenirs amusants sont la meilleure façon de se rappeler une personne chère. Cela atténue le sentiment de perte. Avant de décéder, mon mari adorait raconter cette histoire à nos amis. Aujourd'hui, je souris en la partageant avec vous.

En 1971, le fils de notre voisin allait se marier dans une église catholique, située en dehors de la ville. Mon mari et moi étions invités au mariage. Nous nous précipitâmes immédiatement au grand magasin de la ville où j'achetai une belle robe rose en lin, une veste et tous les accessoires assortis. La robe était un peu juste, mais j'avais un mois avant le mariage, qui devait avoir lieu le 30 juin, pour perdre quelques kilos.

Le 29 juin arriva. Bien évidemment, je n'avais pas perdu un seul kilo. En fait, j'en avais pris un. Mais j'étais certaine qu'une jolie gaine allait régler le problème. Donc, en quittant la ville, nous nous arrêtâmes de nouveau au magasin. Je m'y précipitai et demandai à la vendeuse une gaine, *taille large*.

La vendeuse trouva la boîte de la gaine que je lui avais décrite, sur laquelle était écrit *LG*. Elle me demanda si je voulais l'essayer. « Oh, non! *Large* est la taille qu'il me faut. Je n'ai pas besoin de l'essayer. »

Le lendemain, comme il faisait dans les trente degrés, j'attendis donc à la dernière minute pour m'habiller. Environ quarante-cinq minutes avant de partir, j'ouvris la boîte et en sortis une gaine à parements de satin à 74,95 $, *taille petite*. Comme il était trop tard pour en trouver une autre, et que la robe ne m'irait pas sans une gaine, un combat s'engagea dans la chambre d'hôtel, entre la gaine et moi. Avez-vous déjà essayé de faire tenir dix kilos de pommes de terre dans un sac pouvant n'en contenir que deux? Finalement, en riant comme un fou, mon mari tira sur chaque côté de la gaine et me tassa dedans. Une fois rentrée dans ma gaine, je mis tous les accessoires roses, lesquels n'allaient plus très bien avec mon visage écarlate. J'étais prête à partir.

Tout le long du chemin qui nous conduisit à l'église, mon mari n'eut cesse de me demander : « Ça va? Tu as l'air bizarre! » Puis il éclatait de rire. Les hommes ne savent vraiment pas apprécier tout ce que font les femmes pour être belles!

Alors que nous nous glissions sur les bancs d'église, il me demanda si j'y arriverais. Il commençait à s'inquiéter parce que je respirais bizarrement. Je l'assurai que tout irait bien. Étant donné que nous sommes des baptistes du sud, et que nos cérémonies de mariage durent trente minutes au plus, je supposai que cette cérémonie ne serait pas trop longue.

Assises sur le banc, près de nous, deux petites vieilles dames se présentèrent poliment à nous. Puis, l'une d'elles dit : « N'est-ce pas charmant, ils ont demandé une grand-messe. »

« Oh, oui! C'est charmant », dis-je à mon tour. Puis, je me tournai vers mon mari et lui demandai ce qu'était une grand-messe. Il haussa les épaules.

Malheureusement pour moi, j'appris qu'une messe solennelle allait durer une heure vingt-deux minutes huit secondes et demie. Le prêtre avait tout béni, sauf ma gaine!

Sur le côté gauche de l'église, la mère de la mariée pleurait; sur le côté droit de l'église, je pleurais. Une des vieilles dames donna un coup de coude à l'autre et lui dit : « Oh, regarde, comme elle est touchée. »

Elles avaient raison — je n'avais jamais été autant touchée de ma vie! Mes chevillent enflaient, mes genoux étaient bleus et mes cuisses s'engourdissaient. Mon mari m'éventait avec mes accessoires roses, me posait des questions et essayait de me réconforter.

Dès que le prêtre les eut déclarés mariés et que le cortège se dirigea vers la sortie, je bondis et pris la place de la cinquième demoiselle d'honneur. Mon mari me suivait de près et continuait à me poser des questions : « Ça va? » « Est-ce que je peux t'aider? » « Est-ce que tu peux respirer? »

« S'il te plaît, aide-moi à sortir d'ici! » haletai-je.

Nous traversâmes le stationnement en sautillant jusqu'à notre voiture. Une fois arrivés, mon mari ouvrit la porte arrière et la porte avant du côté passager. Sur-le-champ, devant Dieu, l'humanité et toutes les personnes présentes au mariage, je sortis hors de cette gaine, tant bien que mal, mon corps couvert de bleus et meurtri! À ma grande horreur, juste au moment où je soulevais le pied pour libérer une fois pour toute mon corps de cette chambre de torture élastique, cette imbécile de gaine se catapulta sous la voiture garée à côté de la nôtre. Mon mari était aux prises avec un tel fou rire qu'il fut incapable de se baisser pour essayer de la récupérer, et j'étais trop mal en point pour m'en préoccuper. Nous sommes montés dans la voiture et avons démarré.

Au cours des années, nous nous sommes souvent demandé ce que les paroissiens de cette église des quartiers chics de la ville ont pensé le lendemain matin en trouvant, dans leur stationnement, une gaine parée de satin, à 74,95 $, *taille petite*, déformée tellement elle avait été étirée.

Barbara D. Starkey

La femme la plus riche du monde

Je viens de passer quatre jours avec une amie mariée à un homme très riche. Il lui a offert une bague sertie d'un rubis d'une valeur de 55 000 $ comme cadeau de fiançailles. Il lui a offert un collier d'émeraudes d'une valeur de 40 000 $ pour la fête des Mères. Il lui a donné 375 000 $ pour refaire la décoration de leur immense maison située sur cinq hectares de terrain. Sa salle de bain a coûté 180 000 $. Même son chien mange dans un plat en argent sur lequel son nom est gravé.

Son mari l'a emmenée dans le monde entier — Tahiti pour le soleil, Paris pour les vêtements, Londres pour le théâtre et l'Australie pour l'aventure. Elle peut aller partout, tout acheter, tout avoir, sauf une chose : il ne l'aime pas de la façon dont elle voudrait être aimée.

Tard hier soir, nous nous sommes assises dans son bureau et avons parlé comme seules des femmes se connaissant depuis leur enfance peuvent parler. Nous avons parlé de nos corps qui changent avec les années, de son corps arrondi par la nouvelle vie qu'elle porte en elle. Nous avons parlé de ce en quoi nous croyions, et de notre recherche d'un sens nouveau à notre vie. Nous avons aussi parlé de nos hommes : le sien, un financier prospère, et le mien, un artiste travailleur qui tire le diable par la queue.

Je lui ai demandé : « Es-tu heureuse? » Elle est restée assise en silence pendant un moment, tout en jouant avec son alliance, un diamant de trois carats. Puis, lentement, comme un chuchotement, elle a commencé à m'expliquer ce qu'elle ressentait. Elle appréciait la richesse dans laquelle elle vivait, mais elle l'aurait échangée sans hésitation contre une certaine qualité d'amour qu'elle ne ressentait pas avec son mari. Elle l'aimait intellectuellement plus qu'elle ne *ressentait* de l'amour pour lui. Elle respectait peu ses valeurs, et cela la détournait sexuellement de lui. Bien qu'il lui fût totalement dévoué et qu'il prît soin d'elle, elle ne connaissait pas avec lui cette expérience d'être aimée à tous les instants — l'affection, la tendresse, les mots propres aux amants, l'écoute, la sensibilité, les attentions, le respect, la volonté de participer chaque jour avec elle à la création de leur relation.

Pendant que j'écoutais mon amie, j'ai compris plus que jamais auparavant que l'amour de mon compagnon sincère fait de moi une femme très riche, beaucoup plus riche que tout bien matériel qu'un homme ne pourrait jamais me donner. Ce n'était pas la première fois que je le ressentais profondément, mais cela venait une fois de plus me rappeler mon immense richesse.

J'ai pensé aux tiroirs remplis de cartes et de mots d'amour qu'il m'avait écrits, et aux trois derniers mots délicieux que je conservais dans mon sac à main. Je le revoyais me toucher, saisir ma main d'un geste protecteur quand nous traversions la rue, me caresser les cheveux quand j'étais allongée près de lui, la tête sur ses genoux, me serrer dans ses bras et dévorer mon cou, m'embrasser sur tout le visage quand je trouvais la réponse à ses charades.

Je pensais à tout ce que nous partagions intellectuellement, aux concepts et aux idées que nous explorions, à nos efforts pour comprendre notre passé et entrevoir notre avenir. Je pensais à la confiance et au respect que nous avions l'un pour l'autre, ainsi qu'à notre soif de vivre et d'apprendre.

À ce moment, je compris que mon amie m'enviait et enviait ma relation avec mon mari. Elle qui vivait dans sa maison luxueuse, enveloppée de bijoux et de richesses, enviait notre vitalité, notre espièglerie, notre passion et notre engagement — oui, notre engagement.

J'ai compris à ce moment-là ce que nous avions entre nous de plus précieux au monde, notre engagement : l'engagement de nous aimer pleinement, entièrement, aussi profondément que nous le pouvions, aussi longtemps que nous le pourrions.

Il ne s'agit pas d'un engagement que nous avons déclaré aux autres, ou même que nous nous sommes déclaré à voix haute entre nous.

Il n'est pas symbolisé par un diamant ni même par un simple anneau en or.

Il ne se définit pas par le temps; ou même par l'espace dans lequel nous vivons, séparément ou ensemble.

Il s'agit plutôt d'un engagement qui se vit, réaffirmé chaque fois que nous allons l'un vers l'autre dans la joie la plus pure, chaque fois que nous disons la vérité, chaque fois que l'un de nous est là pour aider ou réconforter l'autre, chaque fois que nous partageons une nouvelle perspective ou une nouvelle émotion.

Cet engagement se manifeste continuellement dans chaque nouvelle situation de confiance, dans chaque nouvel aspect de notre vulnérabilité, dans chaque nouvelle intensité de notre amour.

C'est un engagement que nous redécouvrons continuellement, comme nous redécouvrons chaque jour qui nous sommes, et tout l'amour que nos cœurs sont capables de donner.

Cet engagement est un véritable mariage de l'esprit — une union dont la cérémonie se déroule à chaque instant où nous nous aimons, et dont l'anniversaire a lieu chaque jour où notre amour grandit.

Aujourd'hui, en arrivant à la maison, j'ai trouvé un chèque à mon attention d'un montant important. De l'argent auquel je ne m'attendais pas. J'ai ri en regardant les chiffres vides de sens alignés les uns à côté des autres.

Hier soir, en parlant avec mon amie, j'ai appris la différence entre avoir de l'argent et être véritablement riche. J'ai su que j'étais déjà la femme la plus riche du monde.

Barbara De Angelis, Ph.D.

La guerre de la mayonnaise

Quand je suis devenu chrétien, j'avais pour habitude de me vanter que le taux de divorce chez les chrétiens pratiquants n'était que de un pour mille.

Malheureusement, cet argument a mordu la poussière depuis longtemps.

En fait, en tant que libraire et critique littéraire, je remarque de plus en plus de titres portant sur les problèmes matrimoniaux que connaissent les chrétiens. Après tout, le mariage était « pour le meilleur et pour le pire ». Quand je repense à mon propre mariage, je m'aperçois que de nombreux obstacles sont venus d'attentes erronées.

Ma femme pensait qu'elle épousait Ward Cleaver. Moi, je croyais que toute jeune épouse sortait d'une publicité de *Good Housekeeping* — une bombe aérosol de Pledge dans une main, l'autre main affairée à tourner le bœuf strogonoff, et un sceau de qualité apposé sur le front.

Nous découvrîmes, à notre grande surprise, que nous avions tous deux tort. Je l'ai découvert le premier soir où j'ai ouvert le réfrigérateur pour me préparer un sandwich.

« Chérie! Où est le pot de mayonnaise Best Foods? »

Silence... Puis... « Chéri... Je n'utilise pas Best Foods, j'utilise Kraft Miracle Whip. »

De nouveau un silence.

Au cours des jours suivants, nous découvrîmes qu'elle aimait le dentifrice Crest et que je me brossais les dents avec n'importe quel produit en vente. J'aimais les olives vertes, elle les détestait et ne mangeait que des olives noires. Quand, tremblant de froid, je montais le chauffage et branchais la couverture électrique, elle se précipitait derrière moi pour baisser le chauffage et débrancher la couverture.

Elle aimait, comme lorsqu'elle était enfant, aller se promener en voiture le dimanche après-midi. Ce à quoi je répondais : « Oui, mais c'était à l'époque où l'essence coûtait 10 cents le litre. Regardons plutôt un vieux film. »

Le pire a été quand nous avons découvert qu'elle était matinale et qu'elle sautait du lit comme une rôtie du grille-pain, alors que je me réveillais avec toute la difficulté du monde, le pyjama cloué au matelas. Je lui expliquai que « si Dieu avait voulu que l'homme voie le lever du soleil, il l'aurait programmé beaucoup plus tard dans la journée ».

Le soir où nous avons découvert que nous aimions *tous les deux* le savon Ivory, nous avons fêté l'événement.

Je pense que nous avons compris que tout désaccord, si minime soit-il, peut évoluer en un problème majeur, et que deux monologues n'équivalent pas à un dialogue.

Mais nous avons surtout appris que nous n'appartenions plus à deux univers distincts comme lorsque nous étions célibataires. Notre travail consistait maintenant à créer un nouvel univers, dans lequel nous habiterions ensemble.

Après toutes ces années, je suis encore une personne du soir, et ma femme une fleur du matin. Quant à Ward Cleaver, elle doit se rendre à l'évidence : il y a beaucoup plus de chances pour que je continue de ressembler à Beav. Et j'ai compris que je devrais m'attendre à la voir sortir tout droit du *National Enquirer* plutôt que de *Good Housekeeping*.

Mais nous nous aimons. Le résultat est qu'elle a appris à aimer le gruau pour le déjeuner (ou à n'importe quelle autre occasion), et j'ai fini par comprendre que les ordures ne se sortent pas toutes seules.

Nous avons maintenant des commandes séparées pour la couverture électrique. J'enfile un chandail quand j'ai froid. Dans le réfrigérateur, côte à côte comme deux tourtereaux satisfaits, sont rangés un pot de mayonnaise Best Foods et un pot de Kraft Miracle Whip.

Nick Harrison

Derrière chaque grand homme se cache une grande femme

Thomas Wheeler, directeur général de la Massachusetts Mutual Life Insurance Company, roulait en compagnie de sa femme sur une autoroute quand il remarqua que l'aiguille de la jauge d'essence était très basse. Il quitta l'autoroute à la sortie suivante et trouva bientôt une vieille station-service équipée d'une seule pompe à essence. Il demanda à l'unique pompiste de remplir le réservoir et de vérifier l'huile; puis, il fit le tour de la station-service pour se dégourdir les jambes.

En retournant vers la voiture, il découvrit sa femme et le pompiste plongés dans une conversation animée. La conversation s'arrêta quand il paya le pompiste. En remontant dans sa voiture, il vit le pompiste faire un signe de la main à sa femme et l'entendit dire : « J'ai été vraiment très content de te parler. »

En quittant la station-service, Thomas demanda à sa femme si elle connaissait le pompiste. Elle admit volontiers qu'elle le connaissait. Ils étaient allés à l'école secondaire ensemble et s'étaient fréquentés pendant environ un an.

« Eh bien! Tu as eu de la chance que j'arrive », se vanta son mari. « Si tu t'étais mariée avec lui, tu serais la femme d'un pompiste au lieu d'être la femme d'un directeur général. »

« Mon cher », répondit sa femme, « si je l'avais épousé, il serait le directeur général et tu serais le pompiste. »

The Best of Bits &Pieces

5

Surmonter les obstacles

Votre cœur ne vit que s'il a connu la souffrance...
La souffrance de l'amour ouvre le cœur,
même s'il est aussi dur que la pierre.

Hazrat Inayat Khan

Où l'amour se manifeste

Ce n'est que lorsque nous savons et comprenons réellement que nous disposons d'un temps limité sur terre — et n'avons aucun moyen de savoir quand la mort se manifestera — que nous commençons à vivre pleinement chaque jour, comme s'il était le seul que nous avions.

Elizabeth Kübler-Ross

Personne ne sait où l'amour se manifestera. Parfois, il se produit dans les endroits les plus inattendus. À la grande surprise de tous, il se manifesta dans un hôpital de réadaptation d'une banlieue de Los Angeles. Un hôpital où la plupart des patients ne peuvent plus bouger par eux-mêmes.

Quand le personnel apprit la nouvelle, les infirmières se mirent à pleurer. Harry MacNarama, le directeur, fut tout d'abord stupéfait, puis déclara que c'était l'un des plus beaux jours de sa vie.

Maintenant, le problème était de savoir comment on allait faire la robe de mariée. Il savait que son personnel trouverait un moyen. Quand une des infirmières se porta volontaire, il fut soulagé. Il voulait que ce jour soit le plus beau jour de leur vie pour Juana et Michael, deux de ses patients.

Un matin, Michael apparut à la porte du bureau de Harry. Il était attaché dans son fauteuil roulant et respirait à l'aide de son respirateur.

« Harry, je veux me marier », annonça Michael.

« Te marier? » Sous l'effet de la surprise, Harry resta béant. Michael était-il sérieux? « Avec qui? » demanda-t-il.

« Avec Juana. Nous nous aimons. »

L'amour s'était frayé un chemin dans l'hôpital, s'était arrêté sur deux corps qui refusaient de fonctionner et avait pénétré le cœur de leurs propriétaires. L'amour s'était manifesté même si les deux malades étaient incapables de se nourrir ou de s'habiller, avaient besoin de respirateurs et ne pourraient jamais remarcher. Michael souffrait d'amyotrophie spinale, et Juana de sclérose en plaques.

Michael prouva combien il était sérieux quand il sortit la bague de fiançailles. Il rayonnait de joie comme cela ne lui était pas arrivé depuis des années. En fait, le personnel n'avait jamais vu Michael si gentil et si agréable, lui qui avait toujours été furieux — l'un des patients les plus en colère avec lequel les employés de l'hôpital avaient dû travailler.

Il était facile de comprendre la colère de Michael. Depuis vingt-cinq ans, il vivait dans un centre médical. Sa mère l'y avait placé quand il avait neuf ans et lui avait rendu visite plusieurs fois par semaine jusqu'à ce qu'elle décède. Il avait toujours été grincheux et injuriait régulièrement ses infirmières; mais au moins il avait l'impression d'avoir une famille à l'hôpital. Les malades étaient ses amis.

Il était aussi très proche de Betty Vogle, une bénévole de soixante-dix ans qui avait su se frayer un chemin dans le cœur de Michael — une tâche difficile — en faisant sa lessive et en étant là pour lui quand elle le pouvait.

Il y avait même eu une fille qui se déplaçait dans un fauteuil roulant grinçant. Il était sûr qu'elle s'intéressait à lui. Mais elle n'était pas restée longtemps au centre. Le centre ferma. Après y avoir passé plus de la moitié de sa vie, Michael fut envoyé à l'hôpital de réadaptation, loin de ses amis; et pire, loin de Betty.

Michael se replia sur lui-même. Il ne voulait pas sortir de sa chambre. Il y restait enfermé dans le noir. Sa sœur, une femme aux cheveux roux, pétillante de vie, devint de plus en plus inquiète. Il en était de même pour Betty qui roulait pendant plus de deux heures pour venir le voir. Mais Michael sombra dans une profonde dépression; personne ne pouvait communiquer avec lui.

Un jour, il était allongé dans son lit quand il entendit un son familier approcher dans le couloir, celui d'un fauteuil roulant grinçant. C'était le même bruit que celui du vieux fauteuil roulant qu'utilisait Juana, la fille qui était restée quelque temps au centre où il vivait.

Le grincement arrêta devant sa porte. Juana jeta un coup d'œil dans la pièce et lui demanda de venir dehors avec elle. Il était intrigué. Et à partir du moment où il retrouva Juana, ce fut comme si elle lui redonnait envie de vivre.

Il regardait de nouveau les nuages et le ciel bleu. Il commença à participer aux loisirs organisés par l'hôpital. Il passa des heures à parler avec Juana. Le soleil et la lumière entraient de nouveau dans sa chambre. Un jour, il demanda à Juana, qui se déplaçait en fauteuil roulant depuis l'âge de vingt-quatre ans, de l'épouser.

Juana avait connu une vie difficile. Elle avait été retirée de l'école avant de pouvoir finir sa troisième année parce qu'elle perdait connaissance et tombait souvent. Sa mère pensait qu'elle était paresseuse et la frappait. Juana vivait dans la terreur que sa mère ne veuille plus d'elle. Alors, dès qu'elle se sentait assez bien, elle nettoyait la maison comme « une vraie petite femme de ménage ».

Tout comme Michael, elle n'avait pas vingt-quatre ans quand on lui fit une trachéotomie pour qu'elle puisse respirer. C'est à ce moment-là qu'elle fut officiellement déclarée atteinte de sclérose en plaques. À trente ans, elle entrait dans un hôpital où elle pouvait bénéficier de soins vingt-quatre heures sur vingt-quatre.

Lorsque Michael lui demanda si elle voulait l'épouser, elle eut peur de ne pas pouvoir surmonter sa douleur s'il s'agissait d'une plaisanterie.

« Il m'a dit qu'il m'aimait, et j'ai eu très peur », dit-elle. « J'ai pensé qu'il se moquait de moi. Mais il m'a dit que c'était vrai. Il m'a dit qu'il m'aimait. »

Le jour de la Saint-Valentin, Juana portait une robe de mariée en satin blanc, décorée de perles véritables et coupée assez large pour être drapée autour d'un fauteuil roulant et d'un respirateur. Harry conduisit fièrement la mariée jusqu'à l'avant de la pièce. Des larmes de joie inondaient le visage de Juana.

Michael avait revêtu une chemise blanche impeccable, un veston noir et un nœud papillon qui cachait parfaitement sa trachéotomie. Il rayonnait de bonheur.

Les infirmières se tenaient à la porte, les malades emplissaient la pièce. Les couloirs débordaient d'employés de l'hôpital. On pouvait entendre des sanglots un peu partout. De toute l'histoire de l'hôpital, jamais deux personnes — prisonnières de leurs fauteuils roulants — ne s'étaient mariées.

Janet Yamaguchi, la responsable des loisirs, avait tout organisé. Les employés s'étaient cotisés pour acheter les ballons rouges et blancs, les assortiments de fleurs et une arche décorée de feuilles. Janet avait demandé au cuisinier de l'hôpital de préparer un gâteau de mariage à trois étages fourré au citron. Un consultant en marketing avait embauché un photographe.

Janet s'était occupée de négocier avec les familles. Ce fut l'un des moments les plus éprouvants et les plus satisfaisants de sa vie quand elle assista au mariage du couple.

Elle avait pensé à tout.

Il était impossible que les mariés s'embrassent pour sceller leur union, comme le veut la tradition. Janet attacha ensemble les fauteuils roulants avec un ruban de satin blanc afin de symboliser cet instant romantique.

Après la cérémonie, la ministre du culte s'esquiva en essayant de retenir ses larmes. « J'ai marié des milliers de personnes, mais ce mariage est le plus merveilleux que j'ai célébré à ce jour », déclara-t-elle. « Ce couple a surmonté les obstacles et montré ce qu'est le pur amour. »

Ce soir-là, Michael et Juana sont entrés pour la première fois ensemble dans leur chambre. Le personnel de l'hôpital leur a servi un souper pour leur lune de miel, accompagné de verres de cidre pétillant qu'ils ont bu tous les deux. Michael et Juana savaient que leur amour avait ému de nombreuses personnes et qu'ils avaient reçu le plus beau cadeau au monde — l'amour. Et on ne sait jamais où il se manifestera.

Diana Chapman

Le cadeau d'amour de Derian

Rien ne meurt, mais l'on pleure quelque chose.

Lord Byron

Pendant les vingt-quatre premières heures de sa vie, notre fils, Derian, était en bonne santé. Mais juste avant que nous quittions l'hôpital, il est devenu bleu. Il fallait l'opérer du cœur sur-le-champ. Dès que l'on nous expliqua la gravité de l'état de Derian, nos vies prirent une nouvelle direction. Nous avons changé parce que nous n'avions pas le choix.

Nous tenions dans nos bras notre nouveau-né sans défense en attendant que le chirurgien vienne et lui ouvre la poitrine. Nous nous débattions dans la confusion, la terreur, le désespoir et la colère. Nous nous tenions la main pendant que nous lui donnions le dernier de nombreux baisers, chaque baiser baigné de l'espoir que nous pourrions l'embrasser de nouveau après une opération chirurgicale réussie. Puis, l'équipe est venue et nous l'a pris doucement des bras en promettant d'en prendre bien soin. Le chagrin étreignit nos cœurs quand nous vîmes Derian partir avec des étrangers vêtus de blouses bleues. Nous nous sommes accrochés l'un à l'autre en pleurant.

À ce moment, notre relation changea. Nous n'avions jamais vraiment eu besoin l'un de l'autre auparavant. Personne d'autre ne pouvait ressentir ce que nous ressentions pour notre enfant. Personne ne serait confronté à ce combat comme nous allions l'être. Personne ne pouvait connaître la souffrance et la peur qui nous habitaient.

Nous unîmes nos forces, et un lien solide se créa entre nous — les parents de Derian.

Il est étrange qu'à ce moment, alors que la mort rôdait autour de nous et menaçait notre fils, nous n'ayons pas eu suffisamment de courage pour prier ensemble le même Dieu et le supplier d'épargner sa vie.

Derian était un batailleur et il survécut à l'intervention chirurgicale. Cependant, quelques jours plus tard, il fut victime d'un arrêt cardiaque. Puis, alors que nous nous apprêtions à quitter l'hôpital le lendemain, il dut subir une nouvelle intervention pendant la nuit. Nous vécûmes nos débuts de parents à l'hôpital. Cela dura trente-six jours.

La vie n'était plus que des montagnes russes — tout allait vite et tout était hors de contrôle. Trois mois après avoir ramené Derian à la maison, je découvris que j'étais de nouveau enceinte. J'avais souvent entendu que Dieu ne vous en donne jamais plus que vous ne pouvez en supporter, mais là, je me sentis vraiment surchargée.

Je ne pouvais croire que Dieu pensait que je pourrais prendre soin d'un autre bébé aussi vite. Peu de temps avant que j'accouche de notre deuxième enfant, Derian eut besoin d'une autre intervention chirurgicale. Une fois de plus, il surmonta l'opération et se rétablit.

Notre fils Connor naquit au mois de septembre. J'avais pris un congé et pensais retourner enseigner au deuxième trimestre de l'année scolaire en cours. Un mois avant que je reprenne mon travail, nous emmenâmes Derian voir le cardiologue pour une visite de contrôle. Il nous dit que Derian devrait subir une autre intervention le mois suivant. Ses mots nous firent l'effet d'une gifle, car on nous avait dit qu'il n'aurait plus besoin d'être opéré. À peine âgé de dix-sept mois, il allait vivre sa quatrième opération du cœur.

Cela nous laissa complètement désemparés. Nous avions pris nos dispositions financières pour un congé de maternité de trois mois, mais j'allais devoir prendre un autre mois de congé sans solde. Il ne me restait plus de jours de maladie. Comment allions-nous nous débrouiller financièrement? Comment allions-nous nous occuper en même temps d'un nouveau-né et de Derian? Combien d'interventions chirurgicales son petit cœur pourrait-il supporter? Et toujours la même question sous-jacente de savoir s'il allait se battre pour survivre à tout cela.

Nous avions peur. La réalité dans laquelle nous vivions nous empêchait de vivre comme tout le monde. Nous étions écrasés par les responsabilités et le désespoir.

Nous étions en décembre, et Noël approchait à grands pas. Nous essayâmes de nous joindre aux festivités, mais sachant que Derian allait se faire opérer au mois de janvier, nous n'avions pas le cœur à célébrer. Les fêtes de Noël avaient toujours été importantes pour nous. Mon mari, Robb, ne pouvait pas passer à côté de quelques traditions. Quand il était invité à une réception de Noël après le travail, il sautait sur l'occasion de retrouver une certaine normalité dans sa vie. J'étais heureuse qu'il y aille. Je voulais qu'il oublie ses soucis pendant quelques heures.

Ce soir-là, j'endormis Derian et Connor sans trop de difficulté. Je me préparais à me mettre au lit quand Robb rentra à la maison. Il était anormalement pâle, ses yeux étaient bizarres et il tremblait. J'eus peur d'entendre ce qui était arrivé.

Il me dit d'un ton profond et sérieux : « Patsy, il faut que je te parle. Quelque chose d'étrange m'est arrivé sur le chemin du retour. Pendant que je conduisais, je parlais à Dieu. »

Je retins ma respiration. Nous n'avions jamais parlé ensemble de Dieu auparavant. Tout semblait tranquille autour de nous, révérencieux. Je l'écoutai très attentivement.

« Patsy, j'ai dit à Dieu que s'il avait besoin de prendre quelqu'un dans notre famille, qu'il me prenne moi plutôt que Derian. » Les yeux de mon mari devinrent rouges. Je pus voir des larmes couler sur son visage.

« Alors, j'ai senti la chaleur pénétrante d'une main sur mon épaule et j'ai entendu un ange me chuchoter doucement : *Derian va bien aller — ne t'inquiète pas.* »

J'étais stupéfaite par la force de ce que Robb me disait. Pendant un moment, je suis restée immobile à le regarder. Puis, nous sommes tombés dans les bras l'un de l'autre. La paix nous entourait.

Cela a été le moment le plus important de notre mariage. Son désir de partager avec moi sa rencontre spirituelle a été l'expérience la plus intime que j'ai jamais vécue. Il m'a permis de pénétrer dans son âme, et quelle âme merveilleuse j'ai découverte. La profondeur de son amour pour notre fils m'émut profondément. Je ne l'ai plus jamais regardé de la même façon.

Notre fils surmonta cette quatrième intervention. Pendant l'année qui suivit cet enfer, ma relation avec Robb atteignit un degré d'intimité que nous n'avions jamais connu auparavant, une nouvelle profondeur dans notre amour. La foi que nous partagions nous avait permis de découvrir non seulement des sentiments plus profonds, mais aussi une nouvelle intimité spirituelle.

Cette nouvelle intimité nous a unis, nous a donné des forces et nous a préparés. Nous pensons que l'ange de Robb nous a guidés vers ce niveau plus élevé dans notre mariage parce que, très vite, nous allions devoir faire face à une nouvelle réalité — la cinquième intervention chirurgicale de Derian.

Cette fois, notre bébé ne s'en sortit pas. Il mourut peu de temps après.

Aussi douloureux que fût la perte de cet enfant, Robb et moi restons unis. C'est comme si Derian nous avait donné en cadeau un amour plus profond l'un pour l'autre. Malgré le chagrin, nous croyons toujours aux prières, aux miracles, à un Dieu tout-puissant — et par-dessus tout, à un petit ange du nom de Derian par qui nous recevons maintenant des conseils divins.

Patsy Keech

Gravé dans son cœur

C'était quelques jours avant Noël. Mon mari, Dan, était parti avec un ami dans un canyon situé près de notre maison en Californie du Sud pour voir si la végétation détruite par le feu quelques mois plus tôt repoussait. Dan et Mike étaient tous deux membres de la California Native Plant Society. Ils étaient toujours à l'affût de plantes et ne cessaient d'explorer les canyons et les collines voisines pour en découvrir de nouvelles et les photographier.

Ce jour-là, après le départ de Mike, Dan décida de faire un peu de recherche en solitaire dans le Laguna Canyon, une partie plus isolée de la région qui n'était pas souvent explorée. Il avait parcouru quelques kilomètres dans le canyon, avait pris des photos et s'apprêtait à retourner à son camion quand il glissa sur une partie de sol imbibée d'eau qui céda. Il fit une chute de plus de dix mètres, heurta plusieurs arbres avant d'atterrir sur une saillie. Il sut immédiatement qu'il était gravement blessé à la jambe gauche. Elle reposait en travers de son autre jambe, dans un angle impossible.

Abasourdi par la chute, Dan mit quelque temps pour comprendre qu'il était trop estropié pour marcher. Il sut alors qu'il avait un grave problème. La nuit allait bientôt tomber et personne ne savait où il était. Il fallait qu'il se rende à un chemin principal, sinon il risquait de mourir sur place avant que quelqu'un le trouve. Il appuya sa jambe brisée contre son autre jambe et, portant son poids sur ses mains, il commença à descendre le canyon, centimètre après centimètre.

Il avançait lentement et péniblement, en s'arrêtant souvent pour se reposer et appeler à l'aide. La seule réponse à ses appels était le son sinistre de l'écho de sa propre voix que lui renvoyaient les parois rocheuses du canyon. Avec le coucher du soleil, la température se rafraîchit. Les nuits étaient froides dans les collines, et Dan savait que, s'il s'arrêtait trop longtemps, il perdrait probablement conscience. C'était de plus en plus difficile, mais il se força, après chaque arrêt, à traîner son corps meurtri avec ses mains endolories. Il continua cet affreux parcours pendant douze longues heures.

Vint le moment où ses forces et sa détermination l'abandonnèrent. Il était complètement épuisé et ne pouvait plus bouger d'un centimètre. Bien que cela semblât inutile, il rassembla ses dernières forces et appela à l'aide.

Il fut étonné d'entendre une voix lui répondre. Une vraie voix, pas un écho vide et moqueur. C'était le beau-fils de Dan — mon fils, Jeb. Nous étions partis à la recherche de Dan, avec les policiers et les techniciens médicaux d'urgence.

Ne voyant pas revenir Dan, je m'étais inquiétée et j'avais téléphoné à Mike. Mike était d'abord parti seul à la recherche de mon mari. Il était parti en voiture, allant d'un canyon à l'autre pour trouver la camionnette de Dan. Il avait fini par téléphoner à la police pour l'informer de la disparition de Dan.

J'étais restée calme et forte jusqu'à ce que Jeb déclare avoir entendu la voix de mon mari. J'ai alors éclaté en larmes, laissant libre cours à la peur et aux appréhensions que j'avais fait taire pendant des heures. Il fallut plus de deux heures pour que l'équipe de sauvetage remonte Dan du ravin et que les infirmiers le déposent sur une civière. Quand je le rejoignis à l'hôpital, mes larmes recommencèrent à couler. J'étais anéantie à la seule pensée d'avoir passé si près de perdre cet homme merveilleux. Je n'arrêtai de sangloter que lorsque je sentis les bras de Dan autour de moi.

Alors que j'étais assise près de son lit d'hôpital, les yeux fixés sur le visage que j'avais tant eu peur de ne jamais revoir, Dan me raconta son histoire. Immédiatement après avoir glissé dans le canyon, quand il réalisa la gravité de sa situation, il pensa à moi et à combien il me manquerait s'il ne parvenait pas à s'en sortir. Alors qu'il était allongé au fond de cet escarpement rocailleux, il avait tâtonné jusqu'à ce qu'il trouve une roche pointue. Il l'avait utilisée pour graver un message sur un gros rocher près de l'endroit où il était allongé. Il espérait que, si le pire devait arriver, je finirais par découvrir le rocher et le message qu'il y avait gravé à mon intention. Il voulait que je sache que j'avais été avec lui tout le temps, dans son cœur.

Je recommençai à pleurer de plus belle. Je savais que j'aimais profondément mon mari, mais je n'étais pas préparée à cette déclaration — à la profondeur de son amour pour moi.

Quelque part, dans un endroit perdu des collines boisées de Laguna Canyon, il y a un gros rocher avec un cœur gravé dessus. Et dans ce cœur, on peut lire : Elizabeth, je t'aime.

Elizabeth Songster

Où que tu sois, j'y suis aussi.

Beethoven

De nouvelles espadrilles

Bénie soit l'influence d'une âme véritablement aimante sur une autre.

George Eliot

Je n'avais aucune idée de notre destination ou de ce que nous faisions. Je repensais à tous les abus que j'avais endurés de la part de mon mari. Pendant les quelques années où j'avais vécu avec lui, il m'avait battue, fracturé des os, tiré dessus avec une arme à feu, donné des coups de couteau et violée. Je trouvai enfin assez de courage et de force pour le quitter. J'emmenai avec moi mes deux petites filles, Kodie et Kadie. Cela faisait trois semaines que nous vivions dans la rue. J'essayai de trouver du travail, mais je n'avais pas les moyens de faire garder mes filles. Je voulais travailler, mais je ne savais pas quoi faire d'elles. Elles n'avaient que deux et quatre ans. J'étais désemparée.

J'allai demander de l'aide à quelques missions, mais on refusa de nous aider. Je n'avais pas emporté les certificats de naissance des enfants avec moi en partant. Il n'était pas question que je retourne dans cette maison. Jamais!

Un restaurant du quartier jetait le poulet qui était resté trop longtemps à réchauffer. Je demandai au gérant si je pouvais le prendre pour mes filles. Il me répondit que je devrais attendre qu'il le jette dans la benne à ordures. Ventre affamé oublie sa fierté. Une caissière nous avait entendus parler et elle me dit qu'elle mettrait le poulet sur le dessus de la benne pour nous. Je la remerciai. Nous mangeâmes ainsi pendant quelques jours.

Un jour, alors que je marchais avec les filles, je m'arrêtai dans une pizzeria afin de demander un verre d'eau pour la plus jeune. C'est alors que je le vis — un bel Italien musclé. C'était le plus bel homme que j'avais jamais vu! Je savais que j'avais l'air horrible, mais il nous adressa un sourire amical. Je lui demandai si nous pouvions avoir un verre d'eau. Il nous dit de nous asseoir pendant qu'il allait le chercher.

Il revint avec de l'eau et commença à me dire combien il était difficile d'élever une famille dans cette ville. Il s'absenta un moment pour répondre au téléphone et revint avec beaucoup de nourriture. Plus que j'en avais vue en tout un mois! J'étais extrêmement gênée. Je lui dis que je n'avais pas d'argent pour le payer. Il me répondit : « Je vous l'offre. Mais seules les jolies femmes comme vous bénéficient de ce genre de traitement. » Je me dis qu'il était fou!

Nous restâmes assis quelque temps à bavarder. Puis, il commença à me poser des questions qui me rendirent nerveuse. « Comment vous êtes-vous fait tous ces bleus au visage? Pourquoi n'avez-vous pas de manteau? » Des questions de ce genre. Je répondis aussi calmement que je le pus. Il écouta attentivement, puis il emballa la nourriture et la mit dans la pochette de la poussette. Je lavai les filles dans la salle de bain et essayai de me nettoyer un peu. J'étais affreuse. Nous n'étions pas sales, seulement débraillées. En sortant, nous le remerciâmes, et il nous dit de venir aussi souvent que nous le voudrions. Cependant, je ne voulais pas abuser de son hospitalité. L'hiver approchait à grands pas, et il fallait que je trouve un travail ou que je trouve un moyen de retourner en Georgie pour vivre avec ma famille. Nous quittâmes le restaurant et commençâmes à chercher un endroit où passer la nuit.

Un peu plus tard, alors que nous errions sans but, le bébé régurgita. J'avais vu l'homme de la pizzeria mettre des serviettes en papier avec la nourriture. En cherchant une serviette, je découvris neuf dollars soigneusement pliés. Je pensai : *il a dû mettre l'argent là par erreur quand il nous a donné la nourriture*. Je savais que je ne pouvais pas accepter. Je fis donc demi-tour et retournai au restaurant.

Il y était toujours. Je lui dis que j'avais trouvé cet argent et que je voulais le rendre. « Je l'ai mis là exprès. Je suis désolé, je n'avais pas plus d'argent sur moi », répondit-il gentiment.

Pourquoi faisait-il tout ça? Un ange. Telle fut ma première pensée. Je ne pus que bégayer quelques mots de remerciements. « Amenez les filles manger demain midi. » J'étais perplexe. Pourquoi était-il si gentil avec nous? Mais je n'avais pas d'autre choix et j'acceptai donc, lui dis au revoir et repartis avec les enfants.

J'avais descendu la moitié de la rue quand je sentis que nous étions suivies. Cela me rendit nerveuse parce que j'avais deux enfants à protéger. Je me dépêchai de me cacher dans une ruelle et essayai de faire tenir le bébé tranquille. Elle était décidée à faire du bruit et il n'y avait aucun moyen de la faire taire. Je sentis que quelqu'un approchait et je retins ma respiration.

C'était l'homme du restaurant.

« Je sais que vous n'avez nulle part où aller », me dit-il.

« Comment le savez-vous? » Mon cœur battait à tout rompre. Allait-il livrer mes enfants aux autorités?

« À cause de vos chaussures. »

Je regardai mes pieds. Mes espadrilles, ornées de petits visages souriants, étaient vraiment fatiguées. Elles étaient pleines de trous, et des ficelles remplaçaient les lacets.

Je devins cramoisie. Je bégayai : « Eh bien, j'aime porter des chaussures confortables. »

« Écoutez, aimeriez-vous un endroit chaud où vous pourriez faire votre toilette et passer la nuit? »

J'hésitai. Je ne le connaissais pas du tout! J'aimais la manière dont ses yeux bruns réchauffaient mon cœur, mais cela ne suffisait pas pour prendre la décision d'aller chez un étranger.

« Merci. Mais la réponse est non », déclarai-je calmement.

Il pointa l'appartement au-dessus de nous : « Si vous changez d'avis, vous n'aurez qu'à monter et frapper à la porte. »

Je le remerciai de nouveau et le regardai s'éloigner.

Le moment était venu d'installer confortablement les filles pour la nuit, aussi confortablement que possible quand on dort dans la rue. Je m'assis à côté de la poussette et je vis une ombre derrière la fenêtre, au-dessus de nous. C'était lui. Il resta assis près de la fenêtre pendant des heures, à veiller sur nous.

Je finis par m'endormir d'un sommeil agité. Épuisée par mes épreuves, je n'avais même pas remarqué qu'il s'était mis à pleuvoir. Je ne réalisai même pas tout de suite qu'il était debout près de moi. Il était trois heures du matin.

« Je vous en prie, montez avec les filles. Je ne veux pas que l'une de vous tombe malade. »

« Je ne peux pas », répondis-je.

« Très bien », rétorqua-t-il, « je n'ai pas d'autre choix que de passer la nuit ici avec vous. » Sur ces paroles, il s'assit par terre.

Je cédai. « Ce n'est pas la peine que nous soyons tous trempés », marmonnai-je. Je le laissai monter la poussette, avec une des filles dedans. Il m'installa avec les filles dans son lit et alla dormir sur le canapé.

« Ça ne vous dérange vraiment pas? » demandai-je timidement.

« Essayez de dormir, d'accord? » Puis, il me souhaita bonne nuit. Je ne fermai pas l'œil de la nuit. Je n'avais plus peur de cet homme doux. J'étais... nerveuse.

Le lendemain, il alla acheter des habits et des jouets pour les enfants et me rapporta de nouvelles espadrilles. Il y a six ans de cela. Nous sommes toujours ensemble et nous avons aussi deux petits garçons. Je remercie Dieu de nous avoir envoyé Johnnie Trabucco. Nous avons un foyer stable et nous vivons dans un environnement aimant. Nous ne souffrons plus.

Kim Lonette Trabucco

Love Me Tender

Dans un mariage, l'année la plus difficile est celle que vous vivez présentement.

Franklin P. Jones

Comme de bien entendu il pleut. Que pourrait-il faire d'autre la pire journée de ma vie?

Libby Dalton, dix-huit ans, regardait par la fenêtre, les coudes sur la table, le menton appuyé dans les mains. Des boîtes empilées les unes sur les autres projetaient des ombres sporadiques sur les murs, au gré de la lumière qui dansait à travers la pluie s'abattant sans arrêt sur les carreaux de la fenêtre.

D'ici une heure, ils auraient quitté maison et famille pour aller vivre dans une ville perdue appelée Levittown, dans l'État de New York.

Il y avait de cela un mois, Johnny avait fait irruption dans l'appartement avec sa grande nouvelle... l'offre d'emploi, la chance de quitter Milford et de faire quelque chose qu'il voulait vraiment. Comment aurait-elle pu lui dire qu'elle ne pouvait pas quitter sa famille, sa maison, sa vie?

Elizabeth Jane Berens et John Dalton Jr., la blonde meneuse de claque aux yeux bleus et le beau joueur de football, se fréquentaient depuis le début de l'école secondaire. En dernière année, ils avaient été nommés couple de la fête annuelle et figuraient dans l'album de finissants comme le plus beau couple de l'école secondaire de Milford pour cette promotion.

C'étaient les années cinquante, et la vie était agréable dans les petites villes. Elvis Presley était le roi, et son dernier succès « Love Me Tender » venait de sortir sur les ondes. Au bal des finissants, le plus beau couple de Milford avait dansé doucement, tendrement enlacé, pendant que l'orchestre jouait leur chanson et que Johnny chantait de sa voix douce les paroles dans l'oreille de Libby, émue au plus profond de son cœur.

« Fais attention. Tu sais ce qui arrive aux filles qui ne font pas attention », l'avait avertie sa mère.

Libby n'avait pas l'intention de faire partie des filles dont on parle au vestiaire. Elle et Johnny attendraient.

Mais le soir de la remise des diplômes, sans en souffler mot à personne, ils traversèrent la frontière et allèrent voir un juge de paix. Ils ne pouvaient plus attendre.

Au bras de son nouveau mari, Libby montra avec fierté son alliance à leurs parents consternés qui virent tous leurs rêves s'écrouler : envolées les bourses pour jouer au football, les diplômes universitaires, la longue robe blanche et le voile.

« Es-tu enceinte? » demanda en aparté la mère de Libby.

« Non », la rassura Libby, blessée par cette suggestion.

Au début, c'était amusant de jouer aux grands dans le minuscule appartement où ils n'avaient jamais assez l'un de l'autre. Johnny travaillait à temps plein comme mécanicien au garage Buckner et suivait des cours du soir pour devenir électricien. Libby était serveuse au petit restaurant près de chez eux. Mais la réalité l'emporta vite sur la nouveauté. Ils se heurtaient sans cesse dans le minuscule deux pièces où ils vivaient. Ils rêvaient d'une maison bien à eux et commencèrent à économiser.

Un an plus tard, Libby était enceinte de cinq mois. Malade tous les jours, elle avait dû abandonner son travail. Leurs amis d'école arrêtèrent de leur téléphoner, le jeune couple n'ayant plus d'argent pour aller danser ou aller au cinéma. Des disputes fréquentes remplacèrent les mots d'amour, les espoirs et les plans d'avenir laissèrent place à la frustration de toujours tirer le diable par la queue. Libby passait ses journées seule dans l'appartement; et bientôt ce furent les nuits. Elle soupçonnait Johnny de courir les filles. Personne ne travaille *toutes* les nuits.

Libby venait d'avoir des nausées, comme tous les matins. Elle regarda dans le miroir son corps transformé et ses cheveux dépeignés.

Qui pourrait blâmer Johnny de chercher ailleurs? Qu'est-ce qui l'attend ici? Un bébé qui va naître, une femme laide et grosse, et jamais d'argent.

Sa mère n'arrêtait pas de lui faire des remarques sur sa pâleur et ses cernes. « Tu dois faire attention à toi, Libby. Pense à ton mari. Pense au bébé. »

Libby ne pensait qu'au bébé... cette masse informe en elle, qui déformait son corps et la rendait constamment malade.

Puis arriva le jour où Johnny lui parla du nouvel emploi, à Levittown.

« Nous allons déménager dans un logement fourni par la compagnie. C'est petit, mais c'est mieux que ce trou. » Ses yeux brillaient.

Elle acquiesça de la tête et s'empressa de battre des paupières pour qu'il ne voie pas ses larmes. Elle ne pouvait pas quitter Milford.

Personne ne viendrait leur dire au revoir aujourd'hui… Cela avait été fait la veille, à la fête d'adieu. Pendant que Johnny emportait la dernière boîte, elle parcourut une dernière fois ce qui avait été leur première maison. Ses pas retentissaient sur le parquet. L'odeur de l'encaustique et de la cire régnait encore dans les pièces. Elle se souvenait du soir où ils avaient ciré ces planchers. Elle entendait leurs voix et leurs rires, les revoyait se pousser du coude et s'arrêter en plein milieu pour s'aimer. Deux pièces en désordre, aujourd'hui froides et désertes. Il était étrange de voir avec quelle rapidité ces pièces étaient devenues des cubes impersonnels, comme si personne n'y avait jamais vécu ou aimé. Elle ferma la porte derrière elle pour la dernière fois et se hâta de monter dans le camion.

La température devint de plus en plus maussade alors qu'ils roulaient vers leur nouvelle vie. Son humeur aussi.

« C'est une grosse compagnie. Levitton Manufacturing… des pièces électroniques… une occasion d'obtenir de l'avancement… », dit Johnny.

Elle acquiesça rapidement de la tête et regarda de nouveau à la fenêtre. Il finit par cesser d'essayer de bavarder avec elle, et ils roulèrent en silence. Seul le crissement des essuie-glaces sur le pare-brise résonnait dans la voiture.

Quand ils arrivèrent dans la banlieue de Levittown, la pluie cessa, et le soleil perça à travers les nuages.

« Un bon signe », se réjouit Johnny en regardant le ciel.

Elle fit oui de la tête.

Après s'être trompés à plusieurs reprises, ils trouvèrent leur nouvelle maison. Libby examina d'un air solennel la minuscule boîte, perdue au milieu de boîtes identiques, alignées comme des maisons de Monopoly le long de Oriental Avenue.

« Est-ce qu'un jour tu vas sourire de nouveau, Lib? »

Elle sortit du camion et se gronda en silence. *Grandis Libby. Tu crois que c'est plus facile pour lui?*

Elle voulait s'excuser, mais les larmes qu'elle avait retenues jusque-là lui montèrent aux yeux, et elle lui tourna le dos. Ils transportèrent les boîtes à l'intérieur, sans un mot, et les déposèrent où ils trouvèrent de la place.

« Assieds-toi et repose-toi, Lib. Je vais finir de décharger. »

Elle s'assit sur une boîte et regarda par la fenêtre. *Au moins, il ne pleut plus.*

Des coups frappés à la porte la sortirent de ses pensées. Elle alla ouvrir. Une fille d'environ son âge, de toute évidence enceinte, se tenait sur le seuil. Elle avait une petite assiette de biscuits à la main. « Bienvenue parmi nous. Mon nom est Susan, mais tout le monde m'appelle Souie. »

Elles s'assirent sur des boîtes, mangèrent les biscuits, parlèrent de leur grossesse, de leurs nausées et de leurs maux de dos. Souie devait accoucher dans deux mois, Libby dans quatre.

« Si tu veux, je peux venir t'aider à t'installer demain », dit Souie. « Ça fait tellement de bien de pouvoir parler à quelqu'un. »

Amen, pensa Libby.

Une fois Souie partie, Libby regarda les pièces avec un œil nouveau. *Peut-être que des rideaux bleus dans la cuisine...*

Tout à coup la porte s'ouvrit. Johnny se précipita dans la maison et se dépêcha de fouiller dans les boîtes. Il en sortit une petite radio, la brancha, et leur chanson retentit dans la cuisine. Elvis Presley chantait *Love Me Tender.*

Ils entendirent la voix de l'animateur couvrir la musique « ... spécialement pour de nouveaux arrivants dans notre ville. Félicitations à John et Libby pour leur anniversaire de mariage. »

Johnny s'était souvenu de leur anniversaire de mariage. Elle l'avait oublié. Des larmes coulèrent sur ses joues, et le mur de silence et d'apitoiement dont elle s'était entourée s'écroula.

Il l'attira contre lui, et elle entendit sa voix chanter doucement et tendrement dans son oreille.

Ils dansèrent entre les cartons, accrochés l'un à l'autre comme s'ils découvraient l'amour pour la première fois. Le soleil entrait dans leur nouvelle maison, leur nouvelle ville. Et lorsqu'elle sentit les premiers coups de pied de la nouvelle vie qu'elle portait, Libby Dalton apprit ce que voulait dire le mot amour.

Jacklyn Lee Lindstrom

Le Prince charmant existe-t-il?

La véritable joie ne provient pas de l'aisance des riches ou de l'éloge des hommes, mais de la satisfaction de faire quelque chose d'utile.

W. T. Grenfell

Nombreuses sont les filles qui grandissent en pensant qu'un Prince charmant parcourt le ciel et la terre dans l'attente du moment où il se précipitera dans leur vie pour les enlever au monde morose dans lequel elles vivent et leur faire découvrir le monde enchanté du bonheur absolu dans le mariage.

En devenant des femmes, ces jeunes filles sont toujours un peu consternées de découvrir qu'elles sont plutôt comme Cendrillon ou Blanche-Neige et que l'homme qu'elles croyaient être le Prince charmant est devenu le Prince lourdaud.

Marianne avait vécu une vie comme Cendrillon. À l'âge de huit ans, elle balayait les stationnements pour un dollar. Elle essayait de subvenir à ses besoins et à ceux de ses jeunes frères pendant que sa mère vivait quotidiennement avec une maladie mentale. À la fin de son adolescence, elle rencontra l'homme qu'elle croyait être son Prince charmant.

Elle le rencontra au restaurant où elle travaillait comme serveuse. Elle tomba sous son charme. Il était musicien dans un orchestre réputé. Quand il la regardait, elle avait l'impression qu'elle n'avait jamais vu des yeux aussi grands et aussi attachants. Et pourquoi pas? Elle était aussi adorable que Cendrillon avec ses boucles châtain clair, ses yeux vert émeraude, et un visage qui reflétait l'innocence et l'amour, ce qui était en fait l'expression d'une adolescente intimidée.

Marianne n'arrêtait pas de penser : *Il m'aime. Il m'aime. Il m'aime.*

Et c'était vrai à ce moment-là. Avec la rapidité d'un étalon, il la prit dans ses bras et la porta jusqu'au mariage. Tout était parfait en ce qui concernait Marianne. Elle avait une belle maison et aimait voir son mari jouer dans son orchestre. Elle se sentait aimée et adorée pour la première fois de sa vie. Écarte-toi Blanche-Neige. Voici Marianne. Et elle allait bientôt avoir un enfant.

Elle ne savait rien des autres femmes.

Elle et son mari n'eurent pas de chance. En se mariant, ils avaient aussi marié leurs gènes récessifs. Quand son fils aîné, Loren, naquit, Marianne sut que quelque chose n'allait pas. Il ne réagissait pas au bruit. Pendant une année, elle fit des pieds et des mains, et consulta des médecins qui lui dirent qu'il n'y avait rien d'anormal.

Un spécialiste finit par lui annoncer que Loren était sourd et qu'elle ne pouvait rien y faire. Elle pleura durant les deux premières années de la vie de Loren pendant que son mari ne cessait de répéter que leur fils allait bien.

Les médecins les assurèrent qu'un autre enfant ne serait pas atteint de ce handicap. Mais quand Lance naquit, ils ne tardèrent pas à apprendre que le nouveau-né était lui aussi sourd.

Les difficultés dans leur couple, fondé sur les rêves de contes de fées d'une jeune fille, augmentèrent et atteignirent leur summum quand Marianne se mit en colère parce que son mari ne voulait pas apprendre à communiquer avec ses deux fils.

Il lui laissait le soin de le faire. Elle apprit le langage des signes aussi vite qu'elle put. Cela n'intéressait pas son mari. Quand il parlait aux garçons, il les traitait comme s'ils étaient des chiens. Il leur flattait la tête et leur aboyait un mot ou deux.

Elle emmenait ses deux fils chez ses beaux-parents. Mais ceux-ci ignoraient les enfants.

Elle emmenait ses deux fils dans les magasins. Les vendeurs sursautaient quand ses fils émettaient des grognements. Et maintenant, elle savait à propos des autres femmes. Parfois, son mari ne prenait même pas la peine de rentrer à la maison. Ses amis arrêtèrent de lui téléphoner, et Marianne se sentit terriblement seule.

Le stress et la solitude commencèrent à la détruire. Elle avalait de l'alcool comme de l'eau. Elle nourrissait et habillait ses fils, les mettait au lit, mais refusait de sortir de chez elle. Elle pensait à s'ouvrir les veines.

« Imaginez que vos amis et votre propre famille ne veulent pas se donner la peine d'apprendre à communiquer avec vos fils. Il n'est pas nécessaire de connaître le langage des signes. La gentillesse est un langage que nous comprenons tous. Quand vous voyez un enfant comme ça, n'ayez pas l'air stupéfait. Ne sursautez pas et ne vous sauvez pas. En agissant de la sorte, vous envoyez à l'enfant un message négatif. Tendez la main et souriez », explique Marianne.

Marianne a été sauvée par les sourires, les caresses et les baisers de ses enfants. Les yeux de Lance et de Loren n'exprimaient qu'adoration et amour — un véritable amour. Celui qu'elle n'avait jamais connu dans sa vie. Il devint clair pour Marianne qu'elle pouvait gaspiller sa propre vie avec l'alcool, mais elle ne pouvait pas gâcher ainsi celle de ses enfants. Elle se ressaisit et retourna à l'école pour obtenir son diplôme d'études secondaires. Elle trouva du travail dans une compagnie d'assurances et fit des économies.

Plus elle se sentait bien avec elle-même, plus elle était fière de Loren et de Lance. Elle les présenta à ses collègues qui étaient très gentils avec eux. Il était temps pour elle et ses fils de quitter la maison, de couper les liens avec le père et de vivre leur vie.

Un jour, elle emmena ses fils à son travail. Quand elle entra dans le bureau du directeur des assurances, un homme appelé Eric, elle vit Loren assis sur ses genoux. Eric la regarda, et elle eut l'impression que le ciel allait lui tomber sur la tête. Il prononça ces quelques mots :

« Je me sens comme un idiot. J'aimerais beaucoup parler avec votre fils. Savez-vous où je pourrais apprendre le langage des signes? »

Marianne eut l'impression qu'elle allait s'évanouir. Personne au monde ne lui avait encore demandé s'il pouvait apprendre à communiquer avec ses fils. Elle tremblait intérieurement quand elle expliqua à Eric que, s'il était vraiment intéressé, elle savait où il pourrait apprendre. Elle préférait ne pas le croire, mais découvrit très vite qu'il ne plaisantait pas quand il s'inscrivit au cours et commença, au bout de quelques jours, à lui dire bonjour en utilisant des signes.

Quand les enfants venaient, Eric les emmenait se promener sur la jetée, près de leur bureau. Souvent, elle les accompagnait et regardait Eric, qui devenait un expert en langage des signes, parler et rire avec ses garçons comme personne ne l'avait jamais fait.

Chaque fois que ses fils voyaient Eric, leurs visages s'illuminaient. Elle ne les avait jamais vus aussi heureux. Son cœur battait la chamade. Elle commença à être amoureuse.

Elle ne savait pas si Eric éprouvait les mêmes sentiments jusqu'au soir où ils allèrent flâner le long de l'océan Pacifique en sortant du travail. Eric lui dit, dans le langage des signes, qu'il l'aimait et qu'il voulait l'épouser. Le cœur de Marianne dansa de joie.

Le couple alla s'installer dans une petite ville et ouvrit une compagnie d'assurances qui ne tarda pas à devenir florissante. Ils eurent deux autres enfants, Casey et Katie. Les deux entendaient très bien. Ils n'avaient pas encore cinq ans qu'ils avaient déjà appris le langage des signes.

Alors qu'elle n'avait jamais été si heureuse de sa vie, Marianne se réveillait au milieu de la nuit. Son oreille lui faisait très mal et elle sanglotait. Son comportement était inexplicable, car elle ne s'était jamais sentie aussi aimée et heureuse.

Eric lui caressait les cheveux, lui prenait le menton et lui demandait ce qui n'allait pas. Elle ne pouvait que répondre : « Je ne sais pas. Je ne sais pas. » Eric la serrait longtemps dans ses bras. Les semaines passèrent, et Marianne continuait à se réveiller en sanglotant.

Soudain, comme l'éclair, elle se réveilla en connaissant la réponse.

Elle dit à Eric, « son chevalier dans son armure étincelante », qu'elle ne faisait pas assez pour aider les enfants sourds dans le monde. Elle devait les aider à trouver leur place dans la société. Elle devait apprendre au monde à communiquer avec ces enfants.

Eric l'entoura de ses bras et lui dit : « Faisons-le. »

Ils fondèrent ensemble Hands Across America — « It Starts with You » — un organisme qui encourage le public à apprendre le langage des signes et qui a commencé à réaliser des vidéos éducatifs. Ces vidéos présentent à la fois des enfants malentendants et des enfants qui entendent.

Si vous avez l'occasion de parler avec Marianne et de lui demander s'il y a quelque chose de vrai dans les contes de fées comme Cendrillon et Blanche-Neige, elle vous répondra probablement qu'elle a appris beaucoup sur ces histoires au cours de sa vie.

Elle vous dirait certainement : « Il y a assurément beaucoup de Princes lourdauds sur cette terre. Mais il y a aussi quelques Princes charmants, et il y a vraiment beaucoup de Cendrillons aussi. »

Diana Chapman

6

LA FAMILLE

Le seul moyen de vivre éternellement est d'aimer quelqu'un — vous laisserez alors un cadeau derrière vous.

Bernie Siegel, M.D.

Une histoire d'amour

L'amour qui ne sait pas donner et prendre sans restrictions n'est pas de l'amour, mais une transaction.

Emma Goldman

Edward Wellman fit ses adieux à sa famille d'un vieux pays et partit pour l'Amérique, à la recherche d'une vie meilleure. Papa lui tendit une sacoche de cuir qui renfermait les économies de la famille. « Il n'y a plus rien à faire ici », dit-il en serrant son fils dans ses bras. « Tu es notre espoir. »

Edward s'embarqua sur un cargo qui offrait à de jeunes hommes de les transporter gratuitement; ceux-ci, en retour, s'engageaient à pelleter du charbon pendant toute la traversée de l'Atlantique qui durait un mois. Si Edward trouvait de l'or dans les Rocheuses du Colorado, le reste de la famille pourrait éventuellement venir le rejoindre.

Des mois durant, Edward travailla d'arrache-pied dans sa concession, et le petit filon d'or lui procura un revenu modéré mais stable. Tous les jours, quand il ouvrait la porte de sa cabane après sa journée de travail, la femme qu'il aurait aimé voir l'accueillir lui manquait. Laisser Ingrid derrière lui avant d'avoir pu officiellement lui faire la cour avait été son seul regret quand il accepta cette aventure américaine. Leurs familles étaient amies depuis des années. Et d'aussi loin qu'il pouvait se souvenir, il avait toujours espéré en secret qu'elle devienne sa femme. Avec ses longs cheveux et son sourire radieux, elle était la plus belle des sœurs Henderson. Il s'asseyait près d'elle aux pique-niques organisés par l'église; et il trouvait toutes sortes de raison pour s'arrêter chez elle, dans l'espoir de la voir.

Chaque soir, en s'endormant dans sa cabane, Edward rêvait de caresser ses cheveux auburn et de la serrer dans ses bras. Il finit par écrire à papa pour lui demander de l'aider à faire en sorte que son rêve devienne réalité.

Une année passa, puis un télégramme arriva avec un plan qui allait combler sa vie. M. Henderson avait accepté d'envoyer sa fille rejoindre Edward en Amérique. Étant donné qu'elle était très travailleuse et avait un bon sens des affaires, elle travaillerait pendant un an avec Edward pour l'aider à développer son exploitation minière. Après quoi, les familles auraient les moyens de venir en Amérique pour leur mariage.

Pendant le mois qui suivit, Edward essaya de faire de sa cabane un endroit agréable où vivre. Il était fou de joie. Il acheta un lit de camp qu'il installerait pour lui dans la salle de séjour et essaya d'aménager son ancienne chambre pour une femme. Il remplaça les sacs en toile qui masquaient les fenêtres crasseuses par du tissu à motifs floraux provenant de sacs de farine. Il transforma une boîte de conserve en vase dans lequel il disposa des feuilles de sauge séchées, cueillies dans la prairie, et le posa sur la table de chevet.

Enfin, le jour qu'il attendait depuis toujours arriva. Il cueillit des pâquerettes, en fit un bouquet, et se rendit à la gare. Le train s'arrêta dans un tourbillon de vapeur et de grincements de roues. Edward examina chaque fenêtre, à la recherche de la chevelure auburn et du sourire radieux d'Ingrid.

Son cœur battait d'impatience, mais son enthousiasme tomba brutalement. Ce ne fut pas Ingrid qui descendit du train, mais sa sœur aînée, Marta. Intimidée, elle resta debout devant lui, les yeux baissés.

Edward ne dit rien. Il était sidéré. Puis, il offrit d'une main tremblante le bouquet à Marta. « Sois la bienvenue », murmura-t-il d'un air gêné. Un sourire éclaira le visage de Marta.

« J'ai été contente quand papa m'a dit que tu voulais que je te rejoigne », dit Marta en le regardant brièvement dans les yeux avant de baisser de nouveau la tête.

« Je vais prendre tes bagages », répondit Edward avec un faux sourire. Ils se dirigèrent vers le boghei.

M. Henderson et papa avaient raison. Marta avait un grand sens des affaires. Pendant qu'Edward travaillait à la mine, elle travaillait au bureau. Installée à son bureau de fortune, dans un coin de la salle de séjour, elle tenait un relevé détaillé de toutes les activités de la concession. En six mois, leurs actifs avaient doublé.

Ses délicieux repas et son sourire tranquille donnaient à la cabane une merveilleuse touche féminine. *Mais, ce n'est pas la femme que je voulais*, regrettait Edward tous les soirs en s'écroulant sur son lit de camp. *Pourquoi ont-ils envoyé Marta?* Reverrait-il Ingrid un jour? Devait-il renoncer à jamais au rêve qu'il nourrissait depuis toujours de l'épouser?

Pendant une année, Marta et Edward travaillèrent, jouèrent et rirent, mais jamais ils ne s'aimèrent. Une fois, Marta avait embrassé Edward sur la joue avant de se retirer dans sa chambre. Il avait souri, gêné. Depuis, elle semblait se contenter de leurs promenades grisantes dans les montagnes et des longues conversations sur la véranda, après le souper.

Un après-midi de printemps, des pluies torrentielles emportèrent la terre de la colline, érodant l'entrée de leur mine. Furieux, Edward remplit des sacs de sable qu'il empila pour empêcher l'eau de passer. Trempé jusqu'aux os et épuisé, ses efforts désespérés semblaient futiles. Soudain, Marta apparut à ses côtés. Elle tenait le sac de toile ouvert. Avec sa pelle, Edward le remplit de sable. Puis, avec la force d'un homme, Marta le lança de toutes ses forces sur la pile et ouvrit un autre sac.

Ils travaillèrent pendant des heures, enfoncés jusqu'aux genoux dans la boue, jusqu'à ce que la pluie se calme. Main dans la main, ils retournèrent à la cabane. Devant un bol de soupe bien chaude, Edward soupira : « Sans toi, je n'aurais jamais pu sauver la mine. Merci, Marta. »

« De rien », répondit Marta avec son sourire habituel, puis elle alla tranquillement dans sa chambre.

Quelques jours plus tard, un télégramme arriva. Il annonçait l'arrivée des familles Henderson et Wellman pour la semaine suivante. Il eut beau essayer de se contrôler, Edward ne put empêcher son cœur de battre comme auparavant à l'idée de revoir Ingrid.

Il alla avec Marta à la gare. Ils regardèrent leurs familles descendre du train à l'autre bout du quai. Quand Ingrid apparut, Marta se tourna vers Edward. « Va la rejoindre », dit-elle.

Étonné, Edward bégaya : « Que veux-tu dire ? »

« Edward, j'ai toujours su que je n'étais pas la fille Henderson que tu voulais qu'on t'envoie. Je t'ai vu flirter avec Ingrid aux pique-niques de l'église. » Elle fit un signe de tête en direction de sa sœur qui descendait du train. « Je sais que c'est elle que tu veux épouser. »

« Mais… »

Marta posa ses doigts sur les lèvres d'Edward. « Chut! » murmura-t-elle, « je t'aime Edward. Je t'ai toujours aimé. Et c'est la raison pour laquelle je veux vraiment ton bonheur. Va la rejoindre. »

Il saisit la main que Marta avait posée sur ses lèvres et la garda dans la sienne. Quand elle le regarda dans les yeux, il vit pour la première fois combien elle était belle. Il se souvint de leurs promenades dans les prés, de leurs veillées tranquilles au coin du feu, du jour où elle l'avait aidé à remplir les sacs de sable. C'est alors qu'il réalisa ce qu'il savait sans se l'avouer depuis des mois.

« Non, Marta. C'est *toi* que je veux. » Il l'attira dans ses bras et l'embrassa avec tout l'amour qui brûlait en lui. Leurs familles les entourèrent et dirent en chœur : « Nous sommes venus pour le mariage! »

LeAnn Thieman

L'appartenance

Je laissai la maison derrière moi et me lançai sur l'autoroute en compagnie du photographe. Notre journal nous envoyait faire un reportage de trois jours.

Nous étions en route pour Columbia Gorge, là où le fleuve Columbia se fraie un chemin de deux kilomètres de large entre l'État de Washington et l'État de l'Oregon, où les véliplanchistes viennent de partout aux États-Unis pour danser sur les vagues créées par le « vent nucléaire ». Là où je serai loin du neuf à cinq, des heures de tombée, de la routine, de l'épicerie, où je n'aurai pas à courir pour conduire les garçons à leurs pratiques de baseball et où je n'aurai pas à faire attention de ne pas laisser mes chaussettes traîner par terre dans la chambre à coucher. Loin du monde des *R — Responsabilités*.

Pour être franc, les adieux n'avaient pas été parfaits. Notre famille montrait des signes de fatigue. Notre voiture de 1981 manifestait des symptômes d'Alzheimer. Nous étions tous fatigués, grincheux et enrhumés. Jason, mon fils de huit ans, avait tenté de nous ragaillardir avec sa version discordante d'une chanson d'une comédie musicale de Broadway. Mais sans succès.

J'étais occupé à me préparer pour mon voyage; ma femme, Sally, était occupée à geindre parce que mes trois jours de liberté lui vaudraient trois jours de responsabilités supplémentaires.

« Papa, est-ce que tu viendras écouter ma classe chanter, jeudi soir? » demanda Jason dans le chaos de mon départ. Si j'avais été Bill Cosby, j'aurais pris une expression amusante et j'aurais répondu « Mais bien sûr », et tout le monde aurait été heureux, du moins pour une demi-heure. Mais, ce matin-là, je n'avais pas du tout envie de jouer à Bill Cosby.

Je me contentai de répondre : « Non, Jason. Je serai en voyage, je suis désolé. » Je donnai un baiser rapide à Sally et partis.

Maintenant, après des heures de route, j'étais loin de ma famille, du désordre, des nez qui coulent, des exigences de toutes sortes. Le photographe et moi nous connaissions très peu. Nous profitâmes du voyage pour parler un peu de nous. Il avait à peu près mon âge, la mi-trentaine; il était marié, mais n'avait pas d'enfants. Lui et sa femme avaient vu trop de situations de couples prisonniers de leurs enfants, toujours à la recherche de gardiennes et contraints d'abandonner tout voyage spontané. Il me raconta qu'il était allé seul avec sa femme à Columbia Gorge, il n'y avait pas longtemps. *Seul avec sa femme? À quoi ça pouvait bien ressembler?*

Je me souvenais vaguement de ce type de liberté. Partir quand l'envie nous en prenait. Personne pour vous supplier de grimper sur votre dos pour faire un tour de cheval quand vous n'avez qu'une envie — vous écraser dans votre lit pour dormir. Pas de pièces dévastées par une tornade. Non seulement le photographe n'avait-il pas d'enfants, mais il n'avait pas de frites vieilles de six mois sur le plancher de sa voiture, pas de jambes de figurines articulées de Batman sur son tableau de bord, pas de cartes routières tachées de chocolat dans sa boîte à gants. *Quelle avait été mon erreur?*

Pendant les jours qui suivirent, malgré la pluie qui menaçait, nous explorâmes la gorge — des parois de trois cents mètres de basalte se dressaient de chaque côté du fleuve Columbia, des véliplanchistes vêtus de combinaisons fluorescentes fendaient l'eau. Les véliplanchistes étaient aussi fascinants que le paysage.

Ils étaient des milliers, pour la plupart des baby-boomers, à passer leurs journées sur l'eau, leurs nuits en ville et leurs matinées au lit. Une voiture sur quatre transportait une planche à voile sur son toit. Les rues étaient envahies de voitures dont les plaques d'immatriculations venaient de partout aux États-Unis.

Certains de ces passionnés de planche à voile étaient des aventuriers qui vivaient dans leur camionnette, d'autres étaient des yuppies bien établis venus passer la fin de semaine ou des vacances. Le soir, la ville devenait la version « orégonaise » d'une ville balnéaire californienne : les baby-boomers mangeaient, buvaient et s'amusaient, plongés dans un monde de frivolité et de liberté.

Quand je les ai vus, j'ai eu l'impression de découvrir une ancienne tribu disparue. *Dire que, pendant que j'étais occupé à essayer de réparer des chaînes de vélo, ces personnes dansaient dans des clubs au rythme de la musique rock. Pendant que je déposais dans mon compte mes chèques de paie qui seraient dépensés pour l'épicerie, les frais d'orthodontie et les plans d'épargne-études, ces personnes décidaient de quelle couleur serait la planche à voile qu'elles allaient acheter. Quelle avait été mon erreur ?*

Le dernier soir, le temps était toujours nuageux, ce qui contrariait le photographe et influait sur mon humeur. Nous avions tous deux besoin de soleil, pour des raisons différentes.

Alors que je regardais le fleuve par la fenêtre, je sentis un vide en moi. Je n'appartenais pas à cet endroit ni à la maison. J'appartenais à nulle part. Comme le vent qui faisait des moutons blancs sur l'eau, le vent de la liberté balayait mes valeurs. La fidélité. Le mariage. Les enfants. Le travail. J'avais construit ma vie sur elles, et pourtant je me sentais tout remettre en question. *Est-ce que j'avais fait une erreur? Est-ce que je reniais mes responsabilités? Un jour, quand je serai plus vieux, est-ce que je serai soudain confronté aux regrets, est-ce que je ne souhaiterai pas avoir suivi le cours du vent?*

Je me préparais à me coucher quand je l'aperçus — une carte dans ma valise, cachée sous des vêtements. Elle était de Sally. La carte représentait des vaches — ma femme a un penchant pour les bovins — et disait simplement : « Je t'aimerai toujours, jusqu'à la saint-glinglin. »

Je restai plusieurs minutes à regarder la carte et à répéter les mots. C'était la même écriture que celle sur les lettres d'amour à l'université, le certificat de mariage, les deux certificats de naissance, le testament.

Je me couchai. Je n'avais plus besoin de demander à la réception de me réveiller, je savais que je me réveillerais. Cette carte avait trouvé le chemin de mon cœur endurci, condamné mon égoïsme, éclairé ma perspective embrouillée. Je savais exactement où je devais être.

Le lendemain, après une entrevue de deux heures, six heures de route et un sprint de trois cents mètres, j'arrivai à l'école de mon fils, inquiet et hors d'haleine. Le spectacle de chant avait commencé depuis vingt minutes. Avais-je manqué la chanson de Jason? Je me précipitai à la cafétéria. Elle était bondée. Je me frayai désespérément un chemin dans la foule de parents qui encombraient l'entrée. Je pus enfin apercevoir les enfants sur la scène.

C'est alors que je les entendis. Vingt-cinq voix d'enfants qui essayaient de toutes leurs forces de chanter une chanson vieille de cinq ans. Mes yeux parcoururent les petits visages à la recherche de Jason. Je finis par l'apercevoir. Au premier rang, comme toujours, tassé entre deux filles dont, à en juger par son expression, les microbes couraient sur lui comme des fourmis pendant un pique-nique.

Il chantait, oui, mais avec encore moins d'enthousiasme que si on lui avait demandé de ranger sa chambre. Soudain, ses yeux se posèrent sur moi et un sourire illumina son visage, un de ces sourires que seul un père peut voir dans un spectacle d'école primaire, quand son regard rencontre celui de son enfant. Il m'avait vu, un moment qui resterait à jamais gravé dans ma mémoire.

Plus tard, parmi une foule de visages, j'aperçus Sally et notre autre fils. Après le spectacle, noyés dans une multitude de parents et d'enfants, nous nous retrouvâmes tous les quatre et oubliâmes presque la cohue qui nous entourait.

Je ne sentais plus le vide, seulement un lien. Comment un seul homme peut-il avoir tant de chance?

Au cours des jours qui suivirent, je repris mon rôle de réparateur de bicyclettes, de pourvoyeur, de mari et de père, tout ce qui ferait bâiller d'ennui un véliplanchiste.

Mais si j'avais à choisir entre l'excitation de voguer au vent et être père, je choisirais le sourire de mon fils de huit ans, dans la première rangée, n'importe quand.

Et je préférerais, à la liberté de Columbia Gorge, la responsabilité de prendre soin de la femme qui a fait le vœu de m'aimer jusqu'à la saint-glinglin.

Bob Welch

Avoir quelqu'un

Si je peux empêcher un cœur de se briser, je n'aurai pas vécu en vain.

Emily Dickinson

Toutes les mères veulent voir leurs filles heureuses et aimées. Et toutes les filles veulent vivre heureuses pour toujours. Ce fut donc difficile pour moi et pour ma fille Jackie quand elle est devenue mère célibataire. Toutes les deux, nous avons dû faire face à la réalité : sa vie ne correspondait pas à notre image de comment les choses « auraient dû être ».

Puis, comme si les choses n'étaient pas assez difficiles, Jackie décida de déménager avec son fils de deux ans, Kristopher, dans l'espoir de commencer une nouvelle vie. Même si cela signifiait que des kilomètres nous sépareraient, et que ma fille et Kristopher me manqueraient beaucoup, je savais qu'elle avait pris la bonne décision.

Jackie était infirmière. Elle trouva un poste de soir à l'hôpital de la ville où elle avait déménagé. Elle finit par fréquenter un jeune homme. « Il est merveilleux, maman », me disait-elle. Elle semblait heureuse, mais j'étais sceptique. *Quelles étaient les intentions de cet homme envers ma fille ? Accepterait-il son fils ? La traiterait-il avec gentillesse et amour, ou la ferait-il souffrir et lui briserait-il le cœur ?* J'avais beau essayer de toutes mes forces de chasser ces questions de ma tête, je n'y parvenais pas.

Puis, arriva ce que tous les parents et tous les grands-parents craignent : le petit Kristopher tomba gravement malade. Il pleurait et se plaignait d'avoir mal aux jambes dès qu'on le portait ou qu'on le touchait. Après plusieurs jours horribles, les médecins diagnostiquèrent qu'il souffrait d'ostéomyélite, une infection des os, et que c'était grave. L'infection semblait se propager. Kristopher fut hospitalisé pour être opéré d'urgence.

Après l'opération, on ramena Kristopher dans sa chambre et on lui installa une intraveineuse. Des tubes entraient et sortaient de ses minuscules hanches pour irriguer la région opérée. Mais en dépit des solutions et des antibiotiques, il continua à faire beaucoup de fièvre. Kristopher maigrissait, n'avait pas d'appétit et devenait un petit garçon triste.

Les médecins nous dirent qu'il fallait de nouveau l'opérer pour arrêter l'infection. Une fois de plus, son petit corps dut subir la pénible intervention. Puis, il resta allongé dans son petit lit à barreaux. Il était attaché à de si nombreux tubes que sa mère ne pouvait pas le bouger, le prendre, le tenir ou le bercer dans ses bras.

Tous les soirs, quand Jackie devait retourner travailler, je faisais le long voyage en voiture pour voir Kristopher. Je ne pouvais rester que quelques heures parce que cela me prenait plusieurs heures pour retourner chez moi. Chaque fois que je me préparais à partir, Kristopher pleurait : « S'il te paît, ne pars pas grand-maman, sinon, j'aurai personne à avoir. » Chaque fois, j'avais le cœur brisé. Mais je savais que je devais partir. Je lui disais que je l'aimais et je lui promettais de revenir bientôt.

Un soir, alors que j'approchais de la chambre de mon petit-fils, j'entendis quelqu'un parler à Kristopher. Cela ressemblait à une voix d'homme. En approchant, la voix devint plus claire. Quelqu'un réconfortait Kristopher d'une voix calme et gentille. *Qui peut bien être ici en train de parler à mon petit-fils comme ça ?*

J'entrai dans la chambre, et ce que je vis me coupa le souffle.

Le jeune homme dont ma fille m'avait tant parlé était couché dans le petit lit. Il essayait de se faire aussi petit qu'il le pouvait, avec son mètre quatre-vingts. Son dos large était écrasé contre les barreaux, et ses longs bras entouraient Kristopher comme s'il s'agissait d'un paquet précieux.

Le jeune homme regarda dans ma direction avec un doux sourire explicatif et dit à voix basse : « Les bébés ont besoin d'être serrés dans nos bras. Comme on ne peut pas sortir Kristopher de son lit, j'ai décidé de monter dedans. »

Des larmes de bonheur emplirent mes yeux. Je sus que Dieu avait entendu mes prières. Ma fille avait en effet trouvé un homme au cœur tendre et compatissant. Et le vœu de Kristopher avait été exaucé : enfin, il avait « quelqu'un à avoir ».

Kristopher a maintenant vingt ans et est complètement guéri. Le beau jeune homme de ma fille, John, est devenu le meilleur beau-père qu'un garçon peut avoir.

Maxine M. Davis

Prendre des photos

Je chérirai toujours le souvenir d'un samedi d'avril 1997 passé avec mon fils. Torey avait cinq ans et commençait à s'habituer à sa nouvelle vie depuis que sa mère et moi étions divorcés. Le moment de la séparation s'était passé dans le calme, chacun de nous faisant ce qu'il avait à faire, sans contester les décisions de l'autre. Je découvris que je passais plus de bons moments avec Torey. Je pouvais le voir pendant la semaine si je téléphonais à l'avance et il venait chez moi une fin de semaine sur deux. Je ne dirais pas que tout était parfait, mais cette période de vie aurait pu être beaucoup plus difficile. Ma seule inquiétude était que notre divorce puisse pousser Torey à croire que les mariages heureux étaient impossibles, ce que je ne voulais pas.

Ce vendredi après-midi, j'allai chercher Torey à l'école comme d'habitude. Je lui annonçai que j'avais une surprise pour lui le lendemain, mais je refusai d'en dire plus. Il brûlait d'impatience et me suppliait de lui donner des indices. Je finis par lui dire que nous irions quelque part, et ce fut le dernier indice. Il commença à essayer de deviner, comme le font les enfants : le parc, le terrain de jeux, la plage et ainsi de suite. Il devina même que nous irions voir ses grands-parents qui vivaient maintenant à Miami, ou son meilleur ami, Trenton Stimes, qui avait déménagé en Californie l'année précédente.

Quand, malgré toutes ses questions, il se rendit compte qu'il ne savait toujours pas ce que nous allions faire, il essaya par tous les moyens de me soutirer la réponse. Je faillis la lui dire, mais je décidai plutôt de lui donner un indice supplémentaire. « Il faudra que tu apportes la caméra, parce que tu voudras prendre beaucoup de photos. » Ma réponse sembla le calmer.

Je suppose qu'il pensait que si je lui avais dit qu'il aimerait prendre des photos, c'est que nous irions dans un bel endroit, ou peut-être était-il simplement content à l'idée d'utiliser le nouveau Polaroid. De toute façon, il fut tranquille jusqu'au lendemain. À l'heure prévue, huit heures pile, il était prêt à partir. Il n'essaya même pas de deviner la destination. Il portait l'appareil photo en bandoulière et il me fit me dépêcher tout le temps du voyage. Il avait hâte d'arriver, peu importe l'endroit.

Tout en conduisant, je le surveillais pour voir ses yeux lorsque nous approcherions de l'écriteau sur lequel était inscrit « Lowry Park Zoo ». Torey n'était jamais allé au zoo, mais il l'avait demandé à plusieurs reprises. Son excitation me transporta de joie. Le voir ainsi était encore plus agréable qu'à Noël ou le jour où nous lui avions offert son chiot Snoop.

Nous dûmes prendre la file pour entrer et Torey manifestait son impatience en sortant de la file et en tendant le cou pour essayer de voir quelque chose. Je regardai devant nous et vis ce qui nous empêchait d'avancer. Un couple âgé marchait très lentement sur la passerelle en bois. Côte à côte, les deux vieillards se donnaient la main et tenaient la rampe de l'autre main, ce qui bloquait le passage.

Je craignais que Torey ne fasse une réflexion sur le couple âgé, ce qui aurait pu nous mettre dans l'embarras. Pour calmer son impatience, je l'occupai en lui parlant des animaux. Bientôt, Torey fut complètement captivé par les animaux et courait d'un habitat à l'autre. En arrivant près des orangs-outans, il se souvint de l'appareil photo.

« Papa, il faut que je prenne des photos! Tu vas m'aider? »

J'enlevai la bandoulière, ouvris l'étui et sortis l'appareil photo. Je m'aperçus qu'il ne restait qu'une pose, et que nous n'avions pas d'autre pellicule. J'expliquai à Torey qu'il devrait commencer par regarder tous les animaux, puis décider quel animal il voudrait photographier.

Il fut tout d'abord un peu déçu, mais la joie d'être au zoo l'emporta; et il reporta de nouveau son attention sur les animaux. Après avoir visité tout le zoo, nous nous arrêtâmes pour prendre un rafraîchissement.

Pendant que nous buvions nos sodas, je demandai à Torey s'il savait ce qu'il voulait prendre en photo.

Il fit oui de la tête et me dit : « Oh, oui! Est-ce que je peux la prendre maintenant? »

Je lui demandai ce qu'il avait en tête, mais il sourit timidement et refusa de me le dire. Je pensai qu'il me rendait la monnaie de ma pièce pour avoir tenu secrète notre visite au zoo. Je lui dis donc qu'il pouvait aller prendre sa photo à condition que je puisse avoir un œil sur lui.

Il me montra du doigt un endroit près des chimpanzés et me demanda : « Est-ce que je peux aller là-bas? »

J'acquiesçai de la tête et le regardai avec méfiance. Je savais qu'il tramait quelque chose. Les chimpanzés ne figuraient pas sur la liste de ses animaux préférés. Torey courut vers l'endroit qu'il m'avait montré et se retourna pour voir si j'étais d'accord. Je lui fis signe qu'il pouvait y aller.

Il leva l'appareil et prit sa photographie. Un petit groupe de personnes m'empêcha de voir ce qu'il avait choisi. Il revint vers moi en courant pendant que la photographie se développait. Au début, il ne voulut pas me la montrer, mais il comprit qu'il ne pourrait pas me la cacher éternellement et me la tendit pour que je la regarde.

L'étonnement me fit ouvrir la bouche quand je découvris le couple âgé que nous avions vu à l'entrée. Tendrement enlacé, il souriait à Torey.

« Ils sont super! Aujourd'hui, ça fait cinquante et un ans qu'ils sont mariés et ils s'aiment encore. Je les ai entendus le dire! »

À cet instant, j'ai su, peut-être pour la première fois depuis mon divorce, que tout irait bien. J'ai su que Torey avait compris que sa mère et moi ne fêterions jamais nos cinquante et un ans de mariage, mais que, dans son esprit, nous sommes tous les deux très spéciaux pour lui.

J'ai su que Torey avait compris, même s'il n'avait que cinq ans, que les personnes qui restent ensemble cinquante ans ou plus doivent être extrêmement spéciales, assez spéciales pour qu'on les prenne en photo. Et j'ai su que le souvenir que Torey avait choisi de garder de cette sortie était une photo d'un amour vrai et durable.

Ken Grote

Le clin d'œil

Dans le mariage, vous n'êtes ni le mari ni la femme; vous êtes l'amour qui unit ces deux personnes.

Nisargadatta

Il n'y a pas si longtemps, l'homme qui est mon mari depuis treize ans m'a avoué qu'il avait hésité avant de m'épouser. La veille de notre mariage, il était passé à la salle où devait avoir lieu la réception pour y déposer quelque chose. Mes parents étaient là.

Maman, célèbre pour ses talents de cuisinière, avait pris sur elle de préparer un repas simple mais délicieux pour pas moins de cent cinquante invités. Cet après-midi-là, quand mon futur mari entra, il trouva mon père assis près de la porte de la cuisine. Imperturbable, le pauvre homme écoutait ma mère fulminer et s'emporter à son sujet. Papa restait assis pendant que maman énumérait la liste des griefs qu'elle avait contre lui. Tout était sa faute, en commençant par un pot de cornichons qui manquait, en terminant par les tranches de jambon coupées trop finement.

Les personnes qui connaissaient mes parents ne manqueraient pas de témoigner que leur mariage était quelque peu bizarre. Et, en toute honnêteté, la plupart diraient qu'elle était une sorcière et que mon père se laissait mener par le bout du nez.

En tant que fille unique, j'ai grandi en étant le témoin de leur relation particulière. J'étais, comme ils se plaisaient à le dire, « le bébé qui a changé leur vie ». Quand je suis née, cela faisait plus de vingt ans qu'ils étaient mariés. Je me souviens m'être demandé si les autres parents se comportaient aussi de cette façon dans leur couple. Avec les années, j'ai vieilli et j'ai commencé à étudier comment les autres couples interagissaient. Plus j'étudiais les autres relations, plus je me demandais pourquoi mes parents s'étaient mariés, et pourquoi ils restaient ensemble alors qu'aujourd'hui divorcer est devenu aussi banal qu'aller changer l'huile de votre voiture.

Quand j'avais seize ans, maman, qui est diabétique, est tombée gravement malade et a été hospitalisée pendant presque dix jours. Un après-midi, je rentrai de mon travail à temps partiel et trouvai papa assis à la table de la cuisine. Il jouait au solitaire, partie après partie. Toutes les deux ou trois minutes, il jetait un coup d'œil à l'horloge. Il n'avait pas encore dîné, probablement parce que ses talents culinaires se limitaient à faire du café. Je lui préparai un repas chaud. Il le mangea et recommença à jouer au solitaire. Le téléphone sonna. Je répondis dans le salon.

« Bonjour, ma chérie. »

« Bonjour, maman. J'espère que tu te sens mieux que ce matin quand je suis passée te voir. »

« Beaucoup mieux. Ton père est encore à la maison, ou est-il déjà parti? »

« Il est encore ici. »

« Est-ce qu'il s'est arrêté en chemin pour acheter quelque chose à manger? Je l'ai renvoyé à la maison. Il a besoin de se reposer. Il a l'air si fatigué. Je lui ai dit d'acheter un hamburger ou autre chose. La nourriture est infecte dans cet hôpital. Il ne faut pas que ton père mange ça. Je suis obligée de la manger, ça suffit. Je lui ai dit de ne pas venir avant 18 heures. »

« Non, je ne crois pas qu'il ait acheté quelque chose à manger. Mais je viens de lui préparer son dîner. »

« Merci, mon chou. Il faut que j'y aille. On veut me faire une prise de sang. À demain matin. »

Je retournai dans la cuisine pour finir de débarrasser.

« C'était maman. Je lui ai dit que tu avais mangé. »

Il regarda de nouveau l'horloge. Il était 18 heures pile.

« Merci, chérie, pour le repas. C'était aussi bon que si maman l'avait fait. Il faut que je retourne à l'hôpital. »

Il ramassa son jeu de cartes, le rangea dans sa boîte et partit.

Je me souviens des événements de cette journée, non pas que j'avais remarqué quelque chose de particulier, mais à cause de la maladie de ma mère et du compliment que m'avait fait mon père sur ma cuisine.

En y repensant, je comprends mieux la relation de mes parents. Leurs agissements durant ces jours difficiles attestaient de leurs sentiments l'un pour l'autre : l'inquiétude de ma mère pour mon père, même si elle était gravement malade, l'impatience de mon père qui comptait les minutes tant il avait hâte d'aller la retrouver. Leurs actions parlaient d'elles-mêmes. Ils partageaient beaucoup plus que personne ne pourrait jamais le savoir.

J'ai appris quelque chose d'inestimable. Il n'y a pas deux relations qui se ressemblent. Cela reviendrait à comparer deux feuilles d'un même arbre. En surface, elles semblent identiques, mais ce sont les minuscules différences, indéfinissables, qui les rendent uniques.

Ce qui pourrait sembler, à vous ou à moi, une union bizarre est parfaitement ordinaire pour les deux personnes concernées. Les relations se définissent par ce que vous y investissez et ce que vous en retirez. Et seules les personnes concernées peuvent juger de la valeur de ce qu'elles reçoivent. Je suis persuadée que la notion d'amour est très personnelle. La personne à qui vous le donnez est la plus apte à l'évaluer.

Mon mari m'a raconté que la veille de notre mariage, alors qu'il se demandait dans quoi il allait s'embarquer, presque prêt à faire marche arrière, une chose l'arrêta. Quand il se releva de derrière le bar, il jeta un coup d'œil à mon pauvre père assiégé et persécuté, en proie aux attaques virulentes de ma mère dont le sermon résonnait dans la salle, et celui-ci lui a fait un clin d'œil et a souri.

Mes parents étaient mariés depuis presque cinquante ans quand mon père décéda brutalement. Deux mois plus tard, ma mère fut victime d'une attaque qui la cloua dans un fauteuil roulant. Maman survécut six ans. Elle accueillit ses deux petits-enfants avant d'aller rejoindre papa.

Je ne doute pas une seconde que dès que maman a passé les portes du Paradis et qu'elle a vu papa, elle l'a certainement grondé parce que ses cheveux avaient besoin d'être coupés ou son pantalon d'être repassé. Et je suis certaine que papa a regardé saint Pierre, lui a fait un clin d'œil et a souri.

Karen Culver

Les petites bottes rouges

Regardez. Attendez. Le temps s'écoulera et vous donnera ce que vous devez avoir.

Marianne Williamson

Il n'y a pas longtemps, quand ma petite-fille, Tate, fêta ses cinq ans, sa mère lui fit un cadeau très spécial — une paire de bottes de cow-girl rouges qui lui avaient appartenu quand elle était petite. En enfilant les petites bottes rouges, Tate se mit à danser dans toute la pièce. Je me souvins alors de l'après-midi où ma belle-fille, Kelly, m'avait montré les petites bottes et m'avait parlé du premier jour où elle les avait portées. Ce jour-là, Kelly avait connu non seulement la joie de porter ses premières vraies bottes de cow-girl, mais aussi l'excitation d'avoir rencontré son premier amour.

Il était son premier « homme plus âgé » — elle avait cinq ans et il en avait sept! Il vivait en ville. Son père l'avait emmené un samedi après-midi à la ferme du grand-père de Kelly pour monter à cheval. Kelly était assise sur la barrière et regardait son grand-père seller son poney. Elle était fière de ses nouvelles bottes rouges reluisantes et faisait tout son possible pour ne pas les salir.

C'est alors que le garçon de la ville vint lui dire bonjour. Il sourit à Kelly et admira ses bottes de cow-girl rouges. Ce fut peut-être le coup de foudre, car Kelly lui proposa de monter son poney. Elle n'avait jamais laissé personne monter son poney auparavant.

Plus tard la même année, le grand-père de Kelly vendit la ferme équestre. Elle ne revit jamais le petit garçon.

Mais, pour quelque raison, elle n'oublia jamais ce moment magique. Chaque fois qu'elle chaussait ses bottes de cow-girl rouges, elle pensait au beau petit garçon venu de la ville. Quand les bottes devinrent trop petites, sa mère décida de ne pas les jeter. Kelly les avait tant aimées.

Les années passèrent. Kelly devint une belle jeune femme, et elle rencontra mon fils, Marty. Ils se marièrent et eurent une fille, Tate. Un jour, alors que Kelly préparait une vente de garage, elle fouilla dans de vieilles boîtes et trouva les petites bottes rouges. De doux souvenirs l'envahirent. « J'adorais ces bottes », se souvint-elle en souriant. « Je crois que je vais les donner à Tate pour son anniversaire. »

Les rires de Tate me tirèrent de mes pensées. Je regardai Marty soulever sa fille dans ses bras et danser avec elle. Elle riait aux éclats et portait fièrement ses nouvelles bottes rouges. « J'aime beaucoup tes nouvelles bottes de cow-girl, ma petite chérie. En fait, elles me rappellent le jour où je suis monté sur un poney pour la première fois. Je n'étais pas beaucoup plus vieux que toi. »

« Est-ce que c'est une histoire vraie, papa? Ou une histoire pour rire? Est-ce qu'elle se termine bien? J'aime les histoires avec des fins heureuses », dit Tate. Elle adorait entendre son père lui raconter des histoires de son enfance et le supplia de lui raconter la première fois où il était monté sur un poney. Marty ria des questions sans fin de Tate et s'assit dans le grand fauteuil inclinable. Tate grimpa sur ses genoux.

« Il était une fois », commença-t-il, « quand j'avais sept ans, je vivais dans l'immense ville de St. Louis, au Missouri. Et sais-tu ce que je voulais le plus au monde? Un cheval! Je disais à mon père que, lorsque je serais grand, je serais un vrai cow-boy. Cet été-là, mon père m'emmena à une ferme, pas très loin d'ici, et me fit monter sur un vrai poney. Je me souviens qu'il y avait une petite fille. Elle était assise sur la barrière et portait des bottes de cow-girl rouges, exactement comme les tiennes. »

Kelly était assise et écoutait Marty raconter à leur fille la première fois qu'il était monté sur un poney. Quand il parla des bottes rouges, ses yeux s'agrandirent de stupéfaction et son cœur s'émerveilla : Marty était le beau petit garçon venu de la ville qu'elle avait rencontré quand elle n'avait que cinq ans!

« Marty », dit-elle d'une voix tremblante, « cette petite fille, c'était moi. C'était la ferme de mon grand-père. Et ce sont les mêmes bottes rouges! »

Tate était assise sur les genoux de son père, toute heureuse, inconsciente qu'à cet instant magique, ses parents découvraient qu'ils s'étaient rencontrés enfants et que déjà, à ce moment-là, ils avaient senti le lien spécial qui unissait leurs cœurs.

Jeannie S. Williams

Le temps le plus précieux est celui que vous investissez dans votre famille.

Ken Blanchard

Un lien indestructible

Peu importe ce qui lui arrive, l'esprit humain est toujours le plus fort.

C. C. Scott

Le jeune couple se tient debout à l'avant de l'église, son bras entourant tendrement sa taille. Avant que leurs familles et leurs amis se réunissent, le couple allume cinq cierges blancs, et échange un baiser. L'émotion noue la gorge des personnes présentes.

Il pourrait s'agir du mariage de Cliff et Regina Ellis. Ils démontrent certainement leur engagement l'un envers l'autre.

Mais non. Il s'agit d'une messe à la mémoire de leur fille de cinq ans, Alexandra, décédée après avoir lutté contre le cancer pendant deux ans.

Le jour avant sa mort, ses parents l'ont aidée à quitter ce monde comme ils l'y avaient accueillie. Ils se sont installés avec elle dans la baignoire et l'ont serrée tendrement contre eux, dans l'eau chaude, pour qu'elle se sente en sécurité.

Ils lui ont parlé des dauphins, exactement comme celui avec lequel elle avait nagé à Hawaii quelques semaines auparavant. Puis, ils l'ont bordée dans leur grand lit, dans une chambre à l'étage. Ils ont allumé des bougies, lui ont chanté ses chansons préférées et l'ont serrée contre eux. Elle a dit au revoir à son chaton, Simba, à son frère, Zachary, âgé de trois ans, à sa famille et à ses amis. Quand elle a cessé de respirer, ils ont passé encore quelques heures assis près d'elle, puis ils l'ont laissée partir.

À trente et un ans et vingt-neuf ans, Cliff et Regina forment un jeune couple inhabituel. Ils sont forts, aimants et beaucoup plus sages que ne pourrait laisser supposer leur jeune âge. Alors que, généralement, la phase terminale de la maladie d'un enfant perturbe profondément un mariage, le long combat et le décès d'Alex ont renforcé davantage le leur.

En méditant sur la mort de leur fille et ses conséquences, deux mois plus tard, ils conclurent que leur force reposait sur leur *engagement* : envers leur couple, envers Zach pour qu'il ait les parents qu'il mérite, envers la fondation qu'ils ont créée pour fournir de l'information et du soutien aux autres enfants atteints de cancer. Cet engagement leur a permis de s'accrocher durant cette terrible année. Une année au cours de laquelle, un jour ils admirent le coucher du soleil et, l'autre jour, ils se demandent comment la vie peut être aussi cruelle.

Regina Rathburn et Cliff Ellis se sont rencontrés à l'école secondaire, au début des années 80. Ils se sont fréquentés par intermittence. Leur relation est devenue sérieuse quand elle était en dernière année. Ils étaient comme deux âmes sœurs. Jamais Regina et Cliff n'avaient partagé autant de choses avec une autre personne. Cliff était « drôle, sensible et chaleureux », Regina était « belle et avec une très forte personnalité ».

Quand ils se marièrent, en 1988, ils voulaient plusieurs enfants. Une famille où l'on rit, pense et pleure ensemble. Regina affirme : « J'ai toujours été réaliste. Je savais que le mariage exige beaucoup de travail. Je ne me suis jamais attendue à ce que ce soit gentil et merveilleux. Si nous voulions grandir et changer, nous aurions à faire des efforts. »

Alexandra est née peu de temps après. Un bébé parfait qui développa des problèmes respiratoires après sa naissance. Quand elle put enfin venir à la maison, ils ont pris un bain chaud avec leur fille, en sécurité entre des mains confiantes. Trois ans plus tard, Zach s'est joint à eux. Leurs rêves devenaient réalité. Ils pouvaient accorder beaucoup de temps à leurs enfants, tout en s'occupant de leur entreprise.

Puis, les médecins découvrirent qu'Alex était atteinte d'un cancer de la colonne vertébrale. Pendant deux ans et demi, ils ont lutté pour sa guérison. Elle a suivi une chimiothérapie. Cliff s'est même rasé la tête pour avoir la même coupe « chimio » que sa fille.

À la fin de l'hiver, le cancer est réapparu. Alex a refusé une greffe de moelle osseuse. Plus d'hôpital, a-t-elle supplié. Elle voulait nager avec un dauphin à Hawaii. Ils y sont allés.

Ni Cliff ni Regina ne savaient comment ils allaient réagir quand viendrait la fin. Seraient-ils les mêmes personnes? Pourraient-ils encore s'aimer après une telle perte? Alors qu'elle se mourait dans le lit de ses parents, Alexandra leur fit un cadeau inestimable.

« Elle a pris ma main et la main de mon mari, et elle les a réunies au-dessus de son minuscule corps. C'était comme si son dernier geste sur cette terre avait consisté à créer un lien indestructible entre nous. »

« À cet instant, j'ai regardé Cliff et j'ai pensé : *Mon Dieu, qu'il est beau!* Quel père dévoué il a été. J'ai vu en lui son immense amour, sa générosité sans limite. Nous étions là, en équipe, à cent pour cent pour elle. Nous avons honoré nos cœurs, notre fille et notre relation — comme au moment de sa naissance. »

En se remémorant cette nuit inoubliable, les regards de Cliff et Regina se croisèrent à travers le salon.

« J'ai regardé Regina », raconte Cliff, « et je ne pouvais pas imaginer l'aimer plus que je l'aimais. Je me sentais attiré encore plus près d'elle, c'était incroyable. »

Deux mois plus tard, ils acceptent. C'est ce qui leur permet de rester ensemble.

Ils savent que le deuil est un acte solitaire, c'est pourquoi ils se donnent de l'espace l'un l'autre.

Ils savent que le mariage, surtout quand il est soumis à des tensions, a ses hauts et ses bas. Certaines journées sont simplement de mauvaises journées et non une raison pour partir.

Ils pensent tous deux que leurs enfants sont leur premier devoir — et leur plus grande joie. Remettez au lendemain tout ce que vous voudrez, mais donnez du temps à vos enfants, insistent-ils auprès des autres parents.

Ils ont appris — durement et d'une façon peu commune pour des gens si jeunes — que la vie est courte et qu'il faut la savourer en accordant le temps qui leur est donné seulement aux personnes et aux activités qu'ils aiment et qu'ils trouvent importantes.

Malgré leur jeune âge, ils sont conscients que le temps change les gens et ils s'encouragent l'un l'autre à grandir.

Ils reconnaissent que, même dans les moments les plus difficiles, la vie offre des cadeaux inattendus.

« Je pensais que la mort d'Alex allait nous détruire; qu'en la perdant, j'allais perdre moi aussi », admet Regina. « Je ne savais plus qui j'étais. Mais Cliff m'a dit une parole qui est la vérité la plus profonde de notre mariage : peu importe qui nous serons, nous serons ensemble. »

Jann Mitchell

7

LA FLAMME QUI BRÛLE ENCORE

Qui n'a jamais connu la profonde intimité
et la compagnie d'un amour mutuel heureux
a manqué ce que la vie a de meilleur à donner.

Bertrand Russell

Jeune pour toujours

Qui peut admirer et aimer reste jeune pour toujours.

Pablo Casals

Quelque chose de très étrange est arrivé au cours de mes vingt-six ans de mariage. Mes parents ont vieilli. Nos enfants s'apprêtent à quitter le nid. Mais je n'ai pas vieilli. Je sais que les années ont passé parce que je vois ce que je n'ai plus. Finis les jeans taille douze et les chaussures plate-forme. Fini le visage enthousiaste d'une jeune fille prête à relever n'importe quel défi. Comme Tinkerbell, j'ai été suspendue dans le temps. Parce que dans les yeux et l'esprit de mon mari, j'ai encore et aurai toujours dix-huit ans. Je serai toujours aussi insouciante et bohème que le jour où nous nous sommes rencontrés.

Il m'appelle encore sa « mignonne ». Il m'emmène voir des films d'horreur dans des cinémas remplis d'adolescents hurlant de peur. Nous nous tenons la main et partageons notre pop-corn comme nous le faisions il y a tant d'années. Nous continuons à poursuivre les voitures de pompiers, à manger dans de petits restaurants et à écouter de la musique rock des années soixante.

« Ça t'irait bien », me dit-il en me montrant du doigt une belle fille marchant dans le centre commercial. Elle a de longs cheveux blonds qui lui tombent au milieu du dos, et elle porte un débardeur et un short court. J'ai oublié de vous dire qu'elle a vingt ans. J'ai envie de m'éclater de rire, mais je me retiens. Il est sérieux.

Tous les ans, au mois de juillet, il m'emmène à la fête foraine. Par une chaude nuit d'été, nous flânons sur le site poussiéreux de la foire et nous nous laissons envahir par le spectacle et le bruit. Nous mangeons des épis de maïs, et il m'achète des souvenirs horriblement kitch. Des forains nous invitent à leur stand. Mon mari lance des fléchettes sur un panneau épinglé de ballons. Année après année, il essaie de gagner l'ours géant en peluche. Pendant que d'autres personnes de notre âge s'arrêtent pour se reposer sur les bancs, nous faisons des tours de manège. Ça monte, ça descend et ça tourne. Nous nous accrochons pendant que le train des montagnes russes parcourt la dernière boucle dans un grincement de roues. Juste avant la fermeture, nous nous retrouvons à notre endroit préféré, tout en haut de la grande roue. Nous partageons une barbe à papa rose et regardons la mer de néons multicolores au-dessous de nous.

Parfois, je me demande s'il réalise que j'ai plus de quarante ans. Que les enfants que j'ai portés pourraient avoir des enfants à eux. Ne remarque-t-il pas mes premiers cheveux gris? Les rides autour de mes yeux? Devine-t-il mes angoisses? Entend-il mes genoux craquer quand je les fléchis? Je le regarde alors qu'il me regarde avec ses yeux pétillants de malice, et je sais que la réponse est non.

Dans quarante ans d'ici, je me demande souvent où nous serons. Je sais que nous serons ensemble, mais où? Dans une maison de retraite? Chez nos enfants? Pour une raison ou une autre, ces images ne collent pas. Une seule vision demeure toujours claire. Je ferme les yeux et me tourne vers l'avenir... et je nous vois... un vieil homme et sa mignonne. Mes cheveux sont blancs. Son visage est ridé. Nous ne sommes pas assis devant un immeuble, à regarder le monde passer. Nous sommes plutôt tout en haut d'une grande roue, nous nous tenons la main et nous partageons une barbe à papa rose sous une lune de juillet.

Shari Cohen

Le mercredi

Les grandes choses faites de petites choses font une vie merveilleuse.

Eugenia Price

Elle est ma femme, mon amante, ma meilleure amie. Notre mariage dure et grandit depuis plus de quatorze ans. Je peux affirmer en toute honnêteté qu'après tout ce temps passé ensemble, mon amour pour Patricia n'a pas le moins du monde diminué. En fait, plus les jours passent, plus je suis sous le charme de sa beauté. Les meilleurs moments de ma vie sont ceux que nous passons ensemble, que ce soit assis tranquillement à regarder la télévision ou assistant à un match des Chargers de San Diego, un après-midi.

Il n'y a pas de secret qui explique pourquoi notre mariage dure alors que tant d'autres échouent. Je ne peux donner aucune formule de succès. Je ne peux qu'exprimer ce qui caractérise le plus notre relation : ce sens du romantisme né dès notre première rencontre et qui n'a jamais disparu.

Trop souvent, le mariage signifie la mort du romantisme qui accompagne les fréquentations au début d'une relation. En ce qui me concerne, j'ai toujours eu l'impression de continuer à faire la cour à Patricia, et le charme n'a jamais disparu.

On ne peut pas enseigner à quelqu'un comment être romantique. Le romantisme ne s'imite pas non plus. On ne peut être romantique qu'à travers quelqu'un d'autre. Patricia, ma femme depuis quatorze ans, fait naître en moi le romantisme. Je suis charmant grâce à elle. Patricia a toujours éveillé ce qu'il y a de meilleur en moi. Le romantisme de notre relation revêt de trop nombreux aspects pour que je puisse tous les mentionner ici. Je peux toutefois donner un exemple très particulier, qui a débuté il y a plus de quinze ans.

Avant notre mariage, Patricia et moi ne pouvions pas nous voir aussi souvent que nous l'aurions souhaité pendant la semaine. Les fins de semaine passaient toujours trop vite, et les jours qui nous séparaient nous semblaient une éternité. Je décidai de faire quelque chose pour que la semaine passe plus vite, ou du moins pour que nous ayons quelque chose à attendre pendant la semaine.

Cela a donc commencé un mercredi, il y a de cela quinze ans : j'achetai une carte et l'offris à Patricia. Il n'y avait aucune occasion particulière. La carte ne faisait qu'exprimer combien je l'aimais et combien je pensais à elle. J'ai choisi le mercredi uniquement parce que c'était le milieu de la semaine.

Depuis, je n'ai jamais manqué un mercredi. Patricia a reçu une carte de moi chaque mercredi, chaque semaine, chaque mois, chaque année.

Toutes les semaines, je choisis soigneusement ma carte. Ce n'est pas devenu un simple réflexe. C'est ma mission romantique hebdomadaire de trouver la bonne carte. Parfois, ma mission me conduit dans de nombreux magasins pour trouver la carte qui convient. Je passe beaucoup de temps devant les étalages où se trouvent les cartes. Il m'arrive d'en lire une douzaine avant de choisir celle que je vais offrir à Patricia. Le dessin et le texte de la carte doivent avoir une signification toute spéciale pour moi et me rappeler d'une certaine façon Patricia et notre vie ensemble. La carte doit éveiller une émotion en moi. Je sais que, si une carte fait monter une larme de bonheur dans mes yeux, j'ai trouvé la bonne carte.

Tous les mercredis matin à son réveil, Patricia trouve sa carte. Même si elle sait qu'une carte sera là pour elle, la même excitation illumine son visage quand elle ouvre l'enveloppe et lit ce qu'il y a à l'intérieur. Et je suis toujours aussi excité à chacune des cartes que je lui donne.

Au pied de notre lit se trouve un coffre en laiton rempli des centaines de cartes que Patricia a reçues au cours des quinze dernières années, toutes aussi débordantes d'amour les unes que les autres. Je souhaite que notre vie ensemble dure assez longtemps pour remplir dix coffres en laiton avec mes messages hebdomadaires d'amour, de tendresse et, par-dessus tout, de remerciements pour le bonheur que Patricia a apporté dans ma vie.

David A. Manzi

L'amour n'est pas immuable comme une pierre. Il faut le pétrir comme le pain, en refaire tout le temps, le pétrir de nouveau.

Ursula K. Le Guin

Je t'aime toujours

Quand on roule sur la route 103 qui traverse du nord au sud la ville de Newbury (population : environ 1 500 habitants), dans le New Hampshire, on peut remarquer sur le côté est de la route, à trois ou quatre mètres de la chaussée, un rocher gris brun de la taille d'un homme. Le côté du rocher orienté vers le sud est plat, presque lisse, tel un panneau d'affichage installé là à l'intention des automobilistes en provenance du nord.

Il y a environ vingt-cinq ans, une coquette maison en bardeaux de cèdre se dressait du côté ouest de la route, en face de la pierre. Les habitants se souviennent qu'une douzaine de poules picoraient dans la cour arrière. Leurs œufs servaient de déjeuners, et de mince revenu d'appoint, à une famille du nom de Rule dont la fille de seize ans, Gretchen, était jolie, intelligente et mélancolique.

Il y avait un garçon — timide et lui aussi mélancolique, dont on a oublié le nom aujourd'hui — qui se languissait de Gretchen Rule. Il chercha des moyens de le lui dire ou de le lui faire savoir, sans avoir à lui parler ou à se montrer. C'est alors que son attention se porta sur le rocher. Il écrivit dessus « ÉLEVEUSE DE POULETS, JE T'AIME », en lettres de vingt centimètres, avec une bombe de peinture en aérosol, au clair de lune, par une nuit étoilée, comme le prétend l'histoire connue de tous les habitants.

La fille vit le message et devina qui en était l'auteur (bien que ce ne fût, vraiment, qu'une supposition). Les habitants et les automobilistes souriaient, faisaient leurs propres suppositions et continuaient leur chemin. Le message résista aux années, même si des ronces poussèrent et en cachèrent la vue, et même si les lettres, autrefois épaisses et blanches, commencèrent à s'estomper.

Gretchen Rule alla étudier à Harvard, puis vécut sa vie. Le garçon, peu importe qui il était — ou qui il est — devint un homme. Le rocher devint une relique, un message d'amour d'une autre époque.

Un soir, il y a de cela dix, peut-être douze ans (personne ne vit quoi que ce soit et personne ne s'en souvient vraiment aujourd'hui), quelqu'un coupa les ronces. Et le message fut repeint et modifié : « ÉLEVEUSE DE POULETS, JE T'AIME TOUJOURS ».

Le rocher devint un point de repère. « C'est la première à gauche après le Rocher aux poulets », disaient les habitants. « Poulets », « aime » et « éleveuse » étaient les premiers mots que les enfants de la maternelle, aujourd'hui adolescents, apprenaient à lire. Les skieurs qui se rendaient de Boston à Sunapee parlaient d'une histoire d'amour non réciproque. Et tous les ans, ou tous les deux ans, c'est à peine si l'on remarquait que quelqu'un coupait les ronces et rafraîchissait les lettres.

Puis, à la fin du mois d'avril dernier, un visiteur inconnu se plaignit d'un « graffiti » au bureau du département des transports du New Hampshire à Newbury. À la tombée de la nuit, il ne restait plus du message d'amour, adressé il y a longtemps par un garçon timide à celle qu'il aimait, qu'une couche d'apprêt couleur rouille. Le journal *Concord Monitor* fit son requiem : « Le message d'amour à l'éleveuse de poulets n'est plus. »

Une semaine passa. Puis, le matin du 30 avril, un mercredi, le soleil se leva sur l'amour le plus têtu du New Hampshire : « ÉLEVEUSE DE POULETS, JE T'AIME TOUJOURS ».

Le même message, les mêmes lettres de vingt centimètres. Mais plus voyantes cette fois : des lettres épaisses, peintes à la main plutôt que vaporisées.

Les habitants de Newbury, plus inspirés que jamais, firent des démarches pour que leur repère ne disparaisse pas. « Une pétition au département des Transports de l'État du New Hampshire pour un statu quo » fut le nom de la pétition, et ils recueillirent 192 signatures en l'espace d'une journée. Le ministère des Transports répondit par une lettre. Le message du Rocher aux poulets sera préservé à jamais.

Et quelque part, assurément, un homme timide, dans la quarantaine, a dû sourire.

Geoffrey Douglas

Un mardi comme un autre

Un mardi venteux, au début des années cinquante, un de nos bons amis passa chez nous pour nous annoncer la naissance de sa fille. Il demanda à mon mari, Harold, de l'accompagner à l'hôpital. Ils me dirent qu'ils seraient de retour pour souper.

Ils s'arrêtèrent chez le fleuriste pour acheter un pot de tulipes à la nouvelle maman, et mon amour eut l'idée d'acheter aussi un pot de tulipes pour sa femme. Il décida d'acheter en plus deux douzaines de roses rouges et fit porter le tout au compte que je gardais ouvert pour les frais funéraires, *etc.* (Je suppose que, pour lui, cela entrait dans la catégorie des *etc.*)

Après leur visite à l'hôpital, ils s'arrêtèrent au bar Chez Gatto pour boire une bière et emportèrent les fleurs avec eux afin qu'elles ne fanent pas dans la voiture. Une chose en entraînant une autre, les habitués du bar ne tardèrent pas à poser des questions sur les roses et les tulipes. Pris de court et un peu gêné, Harold répondit : « C'est mon cadeau d'anniversaire pour Dorothy. »

Mais ce n'était ni notre anniversaire de mariage ni mon anniversaire. C'était un mardi comme un autre. L'un après l'autre, les habitués offrirent un verre à mon mari et à son ami pour célébrer son anniversaire. Vers vingt et une heures trente, les habitués le taquinèrent parce qu'il fêtait tout seul. « Ma femme ne peut pas se libérer avant vingt-deux heures », répondit-il. « Elle va venir me rejoindre pour manger une grillade dans la salle de réception. » Puis, il commanda des grillades pour nous deux, ainsi que pour tous les habitués du bar. Le propriétaire de l'auberge s'empressa avec plaisir de préparer la salle de banquet pour dix-huit personnes.

Le problème se posa alors — trouver un moyen de me faire venir là. Ce n'était pas le restaurant que je préférais, il se faisait tard, Harold n'était pas rentré pour souper, et j'étais probablement inquiète et en colère.

Mon bien-aimé appela un taxi et demanda au chauffeur, qui était un ami, d'aller à Dublin et de dire à Dorothy qu'il avait des problèmes Chez Gatto et ensuite de venir le rejoindre tout de suite. J'étais en chemise de nuit et en peignoir, avec d'horribles bigoudis sur la tête quand le chauffeur de taxi arriva. Je jetai un manteau sur mes épaules, enfilai mes bottes et me précipitai dehors.

Quand nous arrivâmes chez Gatto, le bar était vide. « Mon Dieu », m'écriai-je, « ça doit être grave. » Une serveuse me conduisit jusqu'à la salle de banquet, plongée dans le noir. « Surprise! Surprise! » Harold se leva et tira une chaise pour que je puisse m'asseoir. Il m'embrassa sur la joue et murmura : « Je t'expliquerai plus tard. » Tu parles qu'il allait m'expliquer!

Eh bien, les roses sont des roses, et les grillades sont des grillades, et le mariage est pour le meilleur et pour le pire. Je humai les roses, souris à nos invités que je ne connaissais pas, et donnai un bon coup de pied à mon mari sous la table. Je n'avais jamais soupé en compagnie de ces personnes et ne mangerais probablement jamais plus avec elles, mais je sus que leurs vœux étaient sincères. J'ai même dansé la « valse d'anniversaire » en chemise de nuit et en bottes pour célébrer un mardi comme un autre.

Dorothy Walker

Chérie, tu es...

mon ciel ensoleillé,
mon euphorisant préféré,
mon lit si chaud,
mon port dans la tempête,
mon cadeau le plus doux,
mon remontant émotionnel,
ma meilleure amie
jusqu'à la fin,
mon inspiration,
ma destination,
ma lumière qui brille,
mon jour et ma nuit,
l'apaisement de mon cœur,
le tranquillisant de ma colère,
le remède à ma souffrance,
ma fièvre printanière,
mon joyau si rare,
ma prière exaucée,
mon cœur et mon âme,
ma vie comme un tout,
mon carrousel,
le remontant de ma déprime,
ma meilleure chance,
ma dernière danse,
ma plus belle motivation,

mon kumquat odorant,
mon énergie,
mon apéritif,
mon soleil matinal,
mon plaisir du soir,
ma partenaire de danse,
la jardinière de mon cœur,
la source de mes rires,
mon éternité,
mon paradis sur terre,
ma destinée,
mon feu brûlant,
mon plus grand désir,
mon âme sœur,
mon doux destin,
la maîtresse de mes rêves,
ma priorité,
ma confiance,
ma raison,
mon pourquoi
jusqu'à ma mort.

Juste au cas où tu ne le savais pas.

David L. Weatherford

Le jour de nos vingt ans de mariage

Une seule vraie question se pose. Comment faire durer l'amour?

Tim Robbins

Je souris chaque fois que j'entends quelqu'un affirmer que la bigamie consiste à avoir une épouse de trop et qu'il en est de même pour la monogamie. En ce qui me concerne, je vois dans le mariage l'aventure d'une communication qui dure toute une vie. Ce fut certainement le cas entre mon mari, Marty, et moi.

Marty et moi sommes ensemble depuis plus de vingt ans. Vingt années des plus riches et enrichissantes.

Si vous me demandez qui est Marty, je vous répondrai avec une absolue tendresse, un gars bien ordinaire, extrêmement terre à terre. Par exemple, je lui ai dit, il n'y a pas très longtemps, que je pensais me mettre à peindre. Il m'a jeté un coup d'œil et m'a demandé de but en blanc :

« Semi-lustre ou latex? »

C'est Marty.

Je me souviens que, pendant les mois qui ont précédé l'anniversaire de nos vingt ans de mariage, je me suis questionnée sur notre couple et me suis demandé si nous formions vraiment le couple que je souhaitais. Notez bien que nous n'avions pas de problème particulier. Mais plus rien de nouveau ne semblait arriver dans notre relation.

Je pensais à nos débuts, à la magie qui accompagne une nouvelle relation — l'excitation de rencontrer quelqu'un dont vous ne connaissez rien, puis de découvrir peu à peu les multiples aspects de sa personnalité qui vous font l'aimer, la joie de découvrir ce que vous avez en commun, le premier rendez-vous, le premier toucher, le premier baiser, la première fois que vous vous blottissez dans les bras l'un de l'autre, le premier… En fait, *tout* ce qui est nouveau.

Un matin, je me levai de bonne heure avec mon mari, dont plus rien ne m'était inconnu, pour faire notre marche habituelle d'environ six kilomètres dans un paysage merveilleux. J'avais l'esprit ailleurs malgré la beauté du paysage. Je pensais à toutes les choses qui semblaient manquer à notre couple après vingt ans de mariage et je me demandais si je ne passais pas à côté de nouvelles choses que j'aurais dû vivre.

Nous arrivions à la moitié de notre parcours, un endroit ombragé où deux cèdres formaient une arche naturelle au-dessus de nos têtes. Alors que nous nous apprêtions à faire demi-tour, mon mari s'approcha, me prit dans ses bras et m'embrassa.

J'étais tellement occupée à penser à toutes les « nouvelles » choses que je manquais que son baiser me prit totalement par surprise.

Nous transpirions, la sueur rendait nos visages collants et nous étions essoufflés. Je compris soudainement la richesse de tout ce que m'avaient apporté vingt ans de vie commune avec Marty. Nous avions surmonté ensemble les décès de trois parents et de deux frères. Nous avions vu son fils obtenir son diplôme de Virginia Tech. Nous avions fait du camping de la Nouvelle-Écosse aux Rocheuses canadiennes. Nous avions chanté avec ma famille en Irlande un 4 juillet. Nous avions fait des randonnées le long de la baie d'Anchorage, en Alaska. Nous avions partagé beaucoup de pommes de terre, beaucoup de levers du soleil et beaucoup de vécu.

Je n'avais jamais partagé autant de choses, à un tel niveau, avec personne d'autre que mon mari. Et nous *étions en train* de partager quelque chose de nouveau. Une promenade à pied, un compagnon adorable en qui je pouvais avoir confiance, une relation agréable, un amour chaque jour nouveau.

Et ce baiser que je n'avais jamais reçu auparavant et qui ne se répéterait jamais. Cet instant *était nouveau*, comme le serait chaque moment que nous allions vivre.

Ce jour-là, notre vingtième anniversaire de mariage prit une toute nouvelle signification que je n'ai jamais oubliée depuis — à l'intérieur même de nos plus vieux engagements peuvent se trouver nos joies les plus nouvelles.

Maggie Bedrosian

Souriez à la personne que vous aimez

Mère Teresa donnait souvent aux gens des conseils inattendus. Quand un groupe d'Américains, parmi lesquels plusieurs enseignants, lui rendirent visite à Calcutta, ils lui demandèrent des conseils qu'ils pourraient transmettre à leurs familles, une fois de retour chez eux.

« Souriez à vos femmes. Souriez à vos maris », fut sa réponse.

Un membre du groupe, qui trouva ce conseil plutôt simpliste, surtout de la part d'une personne célibataire, lui demanda : « Êtes-vous mariée? »

« Oui », répondit-elle à la surprise de tous, « et je trouve parfois difficile de sourire à Jésus. Il peut être très exigeant. »

Eileen Egan

8

L'AMOUR ÉTERNEL

Les mots tendres que nous avons échangés
sont conservés dans le cœur secret du paradis :
un jour, comme la pluie, ils tomberont et se répandront,
et notre mystère fleurira sur le monde.

Rumi

Du pouding au riz

Sheila entra bruyamment dans la salle du personnel. Son uniforme était couvert d'éclaboussures de ce qui avait dû être le repas de quelqu'un d'autre. « Je ne sais pas comment tu fais! » lança-t-elle d'un ton furieux à Helen, l'infirmière qui supervisait l'équipe de soir. Sheila s'effondra sur une chaise et regarda d'un œil morose son sac à lunch tout chiffonné.

« Mme Svoboda m'a encore lancé son plateau à la figure. Elle est dans un tel état d'agitation que je me demande si je vais pouvoir lui faire sa toilette avant de la mettre au lit. Comment fais-tu pour ne pas avoir tous ces problèmes avec elle? »

Helen sourit avec compassion. « Moi aussi, j'ai eu des soirées difficiles avec elle. Mais ça fait plus longtemps que je suis ici et, bien sûr, j'ai connu son mari. »

« Oui, Troy. J'ai entendu parler de lui. C'est à peu près le seul mot que je peux comprendre quand elle pique ses crises. »

Helen regarda tranquillement la jeune étudiante infirmière. Comment pourrait-elle lui expliquer ce qu'elle voyait au-delà des apparences extérieures chez les personnes âgées dont elles s'occupaient. Sheila n'était là que pour l'été. Ce temps était-il suffisant pour apprendre à aimer des personnes impossibles à aimer?

« Sheila », commença-t-elle d'une voix hésitante, « je sais que c'est difficile de travailler avec des personnes comme Mme Svoboda. Elle est désagréable, refuse de coopérer et elle déraille. » Sheila sourit d'un air contrit. « Mais elle est bien plus que la folle que tu vois tous les jours. » Helen se leva pour se servir une autre tasse de café. « J'aimerais te raconter la première fois que j'ai vu les Svoboda. »

« Quand Mme Svoboda est arrivée, elle n'allait pas aussi mal que maintenant, mais elle avait déjà son caractère. Elle rouspétait pour un oui et pour un non — son thé n'était pas assez chaud, son lit n'était pas bien fait. Les mauvais jours, elle nous accusait de lui voler ses affaires. Je n'avais aucune patience avec elle.

« Un jour, son mari était là alors que j'allais lui donner son bain. Je me préparais à me battre avec elle, comme d'habitude. C'est alors qu'il m'a demandé s'il pouvait m'aider. Je me suis empressée d'accepter, avec reconnaissance. Mme Svoboda est restée calme jusqu'au moment où j'ai commencé à descendre la chaise dans la baignoire. Heureusement que j'avais attaché les harnais de sécurité, car elle donnait des coups de pied et hurlait.

« J'ai rapidement commencé à la laver, ayant hâte de terminer. Troy a posé sa main sur mon bras : "Donnez-lui le temps de s'habituer à l'eau." Puis, il lui a parlé doucement en russe. Après quelque temps, elle s'est calmée; on avait l'impression qu'elle l'écoutait. Il a pris très doucement le savon et la débarbouillette de mes mains et a commencé par lui laver les mains. Puis, il a lavé doucement et soigneusement ses bras et ses épaules. Il passait délicatement la débarbouillette sur sa peau ridée et cireuse.

« Chaque geste était une caresse, chaque mouvement une promesse. J'ai soudain compris que j'assistais, telle une intruse, à un rare moment d'intimité. Elle a fermé les yeux et s'est détendue dans l'eau chaude. Le vieil homme murmurait : *Ma belle Nadja, comme tu es belle.* À ma surprise, Mme Svoboda a ouvert les yeux et a murmuré à son tour : *Mon beau Troy.* Plus étonnant encore, elle avait même les larmes aux yeux!

« M. Svoboda a incliné le siège et a détaché ses cheveux dans l'eau. La vieille femme soupirait de bien-être pendant qu'il mouillait, savonnait et rinçait ses cheveux. Puis, il l'a embrassée sur la tempe. *Voilà, ma beauté. C'est fini. Il est temps de sortir de l'eau.*

« Je devais rester avec eux, même s'ils n'avaient pas besoin de moi. J'ai découvert une autre Mme Svoboda bien-aimée, cachée profondément derrière la vieille femme diminuée par l'âge. Je n'avais jamais pensé à elle de cette manière avant. Je ne connaissais même pas son prénom. »

Sheila brassait son yaourt en silence, les yeux baissés. Helen prit une grande inspiration et continua son histoire.

« Mme Svoboda est restée calme tout l'après-midi. Son mari m'a aidée à l'habiller et à lui faire manger son souper. Elle s'est plainte de la nourriture et a même renversé son bol de soupe. M. Svoboda a tout nettoyé patiemment et a attendu que sa colère passe. Puis, il lui a fait manger tranquillement le reste de son repas et lui a parlé jusqu'à l'heure de son coucher.

« J'étais inquiète pour le vieil homme. Il avait l'air complètement épuisé. Je lui ai demandé pourquoi il insistait pour en faire autant lui-même alors que nous étions payés pour le faire. Il m'a simplement répondu en me regardant : "Parce que je l'aime."

« Je lui ai fait remarquer : "Mais vous vous épuisez."

« "Vous ne pouvez pas comprendre. Ça fait presque quarante-neuf ans que nous sommes mariés. Quand nous étions jeunes mariés, la vie des fermiers était beaucoup plus difficile que vous pouvez l'imaginer. La sécheresse a détruit toute notre récolte, et on manquait de pâturage pour le bétail. Nos enfants étaient petits, et je ne savais pas comment on allait survivre à l'hiver. Je me sentais complètement impuissant, et ça me mettait en colère. J'ai été insupportable cette année-là. Nadja s'accommodait de mes sautes d'humeur et me laissait tranquille. Mais un soir, à la table, j'ai éclaté. Elle avait préparé notre dessert préféré, du pouding au riz, et la seule chose à laquelle j'ai pensé, c'était la quantité de lait et de sucre qu'elle avait utilisée.

« "Tout à coup, c'était trop. J'ai attrapé mon bol et je l'ai jeté contre le mur. Puis, je me suis précipité dehors pour aller me réfugier dans la grange. Je ne sais pas combien de temps je suis resté là, mais au coucher du soleil, Nadja est sortie pour me chercher.

« "Troy, tu n'es pas seul avec tes problèmes. J'ai promis de rester à tes côtés pour le meilleur et pour le pire. Mais si tu ne me laisses pas t'aider, alors tu dois partir. Elle avait les larmes aux yeux, mais sa voix était ferme. Tu n'es pas toi-même en ce moment. Quand tu seras de nouveau prêt à revenir avec nous, nous serons là." Puis, elle m'a embrassé sur la joue et est retournée dans la maison.

« "J'ai passé la nuit dans la grange. Le lendemain, je suis allé en ville pour chercher du travail. Il n'y avait pas de travail, bien entendu, c'était la crise; mais j'ai continué à chercher. Au bout d'une semaine, j'ai abandonné. Je me sentais comme un vrai raté, autant comme fermier que comme homme. J'ai repris le chemin de la maison, ne sachant pas si je serais le bienvenu, mais je n'avais nulle part ailleurs où aller.

« "Quand elle m'a vu descendre le chemin, Nadja est sortie en courant. Les cordons de son tablier volaient au vent. Elle m'a serré dans ses bras, et je me suis mis à pleurer. Je m'accrochais à elle comme un nouveau-né. Elle s'est contentée de me caresser la tête et de me serrer dans ses bras. Puis, nous sommes rentrés à la maison comme si rien ne s'était passé.

« "Si elle a pu tenir sa parole et rester à mes côtés pendant mes moments les plus difficiles et pendant les moments les plus pénibles de notre vie, je peux au moins la réconforter maintenant qu'elle a besoin de moi et lui rappeler les bons moments que nous avons vécus. Nous nous souriions toujours quand nous mangions du pouding au riz, et c'est une des rares choses dont elle se souvient encore." »

Helen s'était tue. Soudain, Sheila repoussa sa chaise. « Ma pause est terminée », dit-elle en essuyant les larmes qui coulaient sur ses joues. « Et je connais une vieille dame qui a besoin d'un autre repas. » Elle sourit à Helen. « Si je leur demande gentiment, je suis sûre qu'à la cuisine on va se débrouiller pour lui préparer un plat de pouding au riz. »

Roxanne Willems Snopek

Où le cœur pourrait-il garder, ailleurs qu'au plus intime de lui-même,
Certains doux souvenirs, profondément cachés, de jours qui ne sont plus ?

Ellen Howarth

Un signe de son amour

Je n'aurais jamais pu imaginer que nos billets d'avion seraient un aller-retour pour moi et un aller simple pour Don. Nous étions en route vers Houston pour une opération à cœur ouvert. La troisième pour Don. Outre son cœur, il était en bonne santé et robuste, et n'avait que soixante et un ans.

Son médecin était confiant qu'il surmonterait bien cette chirurgie de remplacement valvulaire. D'autres avant lui avaient survécu à deux opérations ou plus. Don survivrait aussi.

Le jour de l'opération arriva. Une journée très longue. L'opération était en cours depuis six heures quand le médecin sortit pour me dire qu'on ne pourrait pas débrancher Don du cœur-poumon artificiel. Son cœur ne repartirait pas. On avait installé un dispositif d'assistance ventriculaire gauche. Don garda cette machine implantée pendant deux jours, puis il fallut l'enlever. Il resta cinq jours dans le coma. Il était branché à tous les appareils imaginables pour le maintenir en vie.

Le matin où les médecins déclarèrent que nous perdions la bataille, je me rendis à ses côtés à l'heure habituelle. Je lui pris la main et lui dis combien je l'aimais, que je savais qu'il luttait pour revenir, mais que je lui rendais sa liberté pour qu'il puisse faire ce qu'il devait faire.

« Je t'aimerai toujours. Je veux que tu saches : si tu dois partir, je comprendrai, et tout ira bien pour moi. » Il mourut au cours de la nuit.

De retour chez moi à Denver, mon frère bien-aimé m'accompagna. Mes enfants vinrent aux obsèques et m'apportèrent beaucoup de réconfort, un soutien aimant et merveilleux. Malgré tout leur amour, j'étais complètement perdue.

J'avais retrouvé Don après trente ans, l'ayant quitté quand nous étions à l'université. Nous avions chacun vécu notre vie, moi à Houston, et Don à Denver. J'étais divorcée lorsque je retrouvai par hasard une lettre et une photo de cet amour de jeunesse.

Une force me poussa à lui écrire. Un petit signe de moi après trente ans. Je trouvai son nom dans l'annuaire téléphonique de Denver et lui envoyai une lettre. J'attendis. Il répondit et me dit que sa femme était décédée deux mois plus tôt. Nous nous sommes écrit pendant quelque temps, puis nous avons décidé de nous revoir.

Quelles retrouvailles! Nous avons repris ce même amour agréable et facile là où nous l'avions laissé, trente ans plus tôt. Nous nous sommes mariés au mois d'avril, deux mois après nous être retrouvés. J'ai déménagé à Denver. Nous avons vécu six merveilleuses années ensemble. Nous pensions que beaucoup d'autres années suivraient.

La veille des funérailles, j'étais assise sur la terrasse, à l'arrière de la maison. J'avais l'impression que ma vie était terminée. Plus que tout, je voulais être sûre que Don allait bien maintenant, qu'il ne souffrait pas, qu'il était en paix, et que son esprit serait toujours à mes côtés.

« Montre-le-moi, l'implorai-je. Fais-moi un signe, s'il te plaît. »

Cet été-là, Don avait planté pour moi un rosier qui devait donner des roses jaunes. Il m'avait toujours appelée « ma rose jaune du Texas ». Jusque-là, le rosier avait été décevant. Il n'avait pas produit un seul bouton en trois mois.

Mon regard se posa alors sur le rosier. Je ne pus en croire mes yeux et me levai pour aller regarder de plus près. Une tige portait plusieurs boutons, sur le point d'éclore. Je les comptai. Il y avait six boutons jaunes, un pour chaque année qu'avait duré notre union.

Des larmes noyèrent mes yeux, et je murmurai : « Merci ». Le lendemain, à ses funérailles, Don avait dans la main un bouton de rose, un merveilleux bouton de rose jaune.

Patricia Forbes

Attendre

Un autre jour est passé. Une autre journée à ne rien faire. Je suis restée assise, toute la journée, à regarder une télévision fixée au mur dans la petite chambre plongée dans le noir. Du papier peint et des rideaux aux couleurs attrayantes étaient à peine visibles dans l'ombre. Par l'unique fenêtre, le jour, je pouvais voir un triste mur de briques et le soir, un trou noir. Les odeurs de médicaments et de désinfectants se mêlaient. Je ne me souvenais plus quand j'avais arrêté de les remarquer.

Les heures des visites étaient terminées, une autre nuit allait commencer. Combien d'autres nuits? Allais-je devoir encore longtemps regarder mon Jerry, mon mari, mon meilleur ami, lutter contre cette maladie impitoyable qui nous détruisait? Comment un homme en aussi bonne santé et aussi énergique était-il tombé entre les griffes de cette monstrueuse maladie? Lymphome. La plupart des membres de notre famille et de nos amis n'en avaient jamais entendu parler.

Je l'écoutais respirer difficilement. J'entendais ses halètements superficiels. Je passai mes doigts dans mes cheveux, d'un geste machinal, et me demandai, incrédule, comment nous pouvions nous quitter ainsi. Il y aura bientôt vingt-quatre ans, j'avais promis à Dieu de ne jamais quitter Jerry jusqu'à ce que la mort nous sépare. La jeune mariée de dix-huit ans, dans sa robe blanche, pensait que seuls mouraient les gens qui permettaient que cela arrive. Mais aujourd'hui, vingt ans plus tard, la femme de quarante-deux ans que j'étais devenue, ravagée par le chagrin, priait Dieu de libérer de ses souffrances son mari épuisé par la maladie.

J'allais m'installer dans un fauteuil transformable en lit dans lequel je dormais chaque nuit depuis un mois. Dans la chambre qu'occupait Jerry avant celle-ci, il y avait un fauteuil inclinable. Mais maintenant que Jerry se mourait, on l'avait transféré dans l'unité des soins intensifs. Dans la salle d'attente, il y avait des chaises avec des accoudoirs en bois, peut-être pour décourager les gens d'attendre. Il était impossible de rapprocher trois chaises pour en faire un lit. Ne pouvait-on pas comprendre que nous devions attendre, nous qui faisions le guet auprès de nos êtres chers, qui les accompagnions dans leurs derniers jours, leurs dernières heures?

En entendant le claquement de talons hauts s'estomper en de doux échos de crêpe, j'ouvris la porte du couloir pour me convaincre qu'il y avait encore un monde à l'extérieur. Les autres fois avaient été différentes. Nous étions à l'hôpital, mais nous espérions une autre rémission, même une guérison. Les autres fois, nous avions pu parler, rire et nous encourager l'un l'autre. Mais cette fois, cela faisait plus d'un mois que Jerry m'avait parlé, ou m'avait suivie du regard dans la chambre. Il ne pouvait même plus me faire savoir qu'il entendait ou comprenait mes chuchotements. Mais je continuais à lui parler. Le son de ma voix tremblante lui disait mon amour, mon chagrin et mon espoir, où qu'il fût, espérant qu'il pouvait m'entendre.

« Mon amour, tu es toujours la personne la plus importante au monde pour moi. »

« Je ne te laisserai pas, je te le promets. »

« Si tu ne me vois pas, c'est que je suis assise sur une chaise, ou dans le couloir, ou à la salle de bain. Je reviens tout de suite. »

« Tu n'es pas obligé de continuer à lutter pour moi. Je sais que tu es fatigué. Tout ira bien. J'irai bien et tu iras bien. »

« Je ne te laisserai pas, je te le promets. »

Mais la seule réponse que j'obtenais, c'était un regard absent. Autrefois, ses yeux bruns pétillaient en me regardant.

Attendre. L'attente était terminée pour la famille de l'autre côté du couloir. Une femme de soixante-dix-huit ans, victime d'un accident vasculaire cérébral, était restée couchée sans bouger et sans rien dire pendant des semaines. Une ordonnance de « non-réanimation » garantissait que l'on ne prendrait pas de mesures héroïques pour l'empêcher de mourir doucement. Cela venait d'arriver. Une bonne mère de famille, avec une longue vie épanouissante derrière elle, venait de glisser paisiblement dans l'autre monde. Par contre, ses enfants, ses beaux-enfants et ses petits-enfants avaient été tout, sauf tranquilles. Aux bruits de leurs lamentations, les infirmières s'étaient précipitées pour fermer les portes des autres chambres afin que les malades n'entendent pas les cris de douleur : « Oh! Non! » « Elle est morte! » « Mon Dieu, non! » « Va chercher John! » « Va chercher Frank! » « Grand-mère, reviens! » Comment pouvaient-ils avoir si peu de respect pour ceux de nous qui attendaient encore? Attendre.

Pour tenter d'échapper à leur hystérie, je mis le volume de la télévision aussi fort que je le pus et téléphonai à ma meilleure amie.

« Betty, parle-moi. Raconte-moi ce que tu as fait aujourd'hui. Parle et n'arrête pas jusqu'à ce que je te le dise. » Betty a toujours su répondre à mes besoins, il m'arrivait de me dire que je ne la méritais pas. Sans me poser une question, elle commença à parler et continua jusqu'à ce que les battements de mon cœur se calment sous l'effet de sa voix douce.

J'attendais et j'essayais de penser, de prévoir. Et si je ne pouvais pas surmonter ce moment inévitable? Il fallait que les infirmières me promettent... « S'il vous plaît, aidez-moi si vous êtes là quand ça arrivera. Je pense que ça ira, mais si je perds le contrôle, enfermez-moi dans la salle de bain ou enfoncez-moi une serviette dans la bouche. Si je perds toute dignité, je vous en prie, ne me laissez pas déranger les autres. »

J'étais agitée et j'essayais de lutter contre l'inquiétude qui m'habitait jour et nuit au sujet de mes enfants et de leur souffrance. Je cherchai à m'évader un instant. En allant au distributeur automatique, je pourrais regarder par une fenêtre donnant sur le côté sud. Une vraie fenêtre par laquelle je pourrais apercevoir les réverbères, la circulation, les gens, un centre commercial au loin — la vie normale que nous vivions, avant. Je murmurai à Jerry que j'allais chercher un breuvage.

En regardant la nuit, j'eus mal pour mes filles. Ma mère, au lieu de faire des voyages en autobus avec d'autres personnes de son âge, s'occupait de notre maison. Carol, âgée de vingt-deux ans, avait abandonné l'université. Elle prenait ses propres décisions, et certaines m'inquiétaient. Mary, en cinquième année, qui ressemblait à son père comme deux gouttes d'eau et avait les mêmes intérêts que lui, s'ennuyait de l'attention qu'il lui avait toujours manifestée. Je l'avais négligée pendant presque toute la maladie de Jerry, mais surtout au cours de ces six derniers mois horribles. Notre petit lutin plein d'esprit avait des problèmes à l'école, mais elle était à la maison à attendre, et j'étais ici à l'hôpital. Elle n'avait que dix ans. Elle serait encore avec moi pendant longtemps.

Je serais certainement en mesure de rattraper ce temps, de l'aider. Certainement.

Je poussai un profond soupir et me détournai de la fenêtre. Je remarquai une jeune femme, petite, les cheveux blond roux. Elle souriait. Elle avait les bras encombrés d'un fourre-tout, d'un sac à main et d'un sac d'épicerie. De toute évidence, elle avait passé la journée avec un malade.

Elle appuya sur le bouton de l'ascenseur et se retourna pour me regarder : « Bon, je rentre à la maison. »

C'est alors que je craquai. Je m'apitoyai sur moi-même. C'était trop. Je me sentais démunie, en colère et épuisée.

« Ça fait plus de six semaines que je ne suis pas allée chez moi », dis-je la gorge serrée.

Elle s'approcha de moi, déposa ses sacs sur le sol et pencha la tête vers moi. « Qu'est-ce qui ne va pas? »

« Mon mari est en train de mourir. »

Soudain, je sentis ses bras autour de moi, me serrant comme si j'étais une enfant effrayée, me serrant comme pour me dire *Laisse-toi aller.* Et je pleurai.

Nous restâmes comme ça quelques instants, je pleurais doucement sur son épaule et elle me berçait comme si elle me connaissait depuis toujours. J'entendis les portes de l'ascenseur s'ouvrir et je me détachai d'elle.

« Votre ascenseur est là. »

« Ça ne fait rien », dit-elle en secouant la tête. « Puis-je faire *quoi que ce soit* pour vous? Avez-vous besoin de *quelque chose*? »

« Non. Je vous en prie, allez-y. » Je la renvoyai à son quotidien et je retournai dans la chambre de Jerry pour attendre.

Jerry mourut deux jours plus tard.

Qui que vous soyez, ma chère étrangère dont j'ignore le nom et dont j'ai oublié le visage, merci. Comment ai-je pu vous dire que je n'avais besoin de rien? En me serrant dans vos bras, vous m'avez donné exactement ce dont j'avais besoin. J'aurais aimé que Jerry puisse me serrer ainsi dans ses bras. Par ce geste, vous m'avez dit : « Vous n'êtes pas seule. » Alors que je pensais être arrivée au bout de mes forces et ne plus pouvoir continuer, de me serrer dans vos bras a renouvelé mes forces pour les deux derniers jours. Plus important encore, vous m'avez rappelé que, même lorsque Jerry sera parti, il y aura encore de l'amour sur cette terre et que, d'une manière ou d'une autre, cet amour saura me trouver quand j'en aurai besoin. Il ne me restait plus qu'à attendre.

Ann W. Compton

Il y a le monde des vivants et le monde des morts,
et l'amour est le pont entre les deux.

Thornton Wilder

L'amour après le divorce

Quand vous cherchez ce qu'il y a de bon dans les autres, vous découvrez ce qu'il y a de meilleur en vous-même.

Martin Walsh

Il était allongé dans le cercueil orné sur les côtés de petites mouettes en métal. Des fleurs aux innombrables couleurs couvraient le cercueil et emplissaient le temple. Des banderoles portant les inscriptions « Repose en paix » et « Avec nos condoléances » décoraient les bouquets. Le mélange des parfums des fleurs et la chaleur de la pièce bondée de gens venaient ajouter à la lourde ambiance qui régnait. La mort donne souvent lieu à un spectacle surréaliste.

Le service allait commencer et la musique mélancolique de l'orgue s'affaiblissait peu à peu. Plusieurs membres de la famille s'étaient succédé au podium pour rendre hommage à Greg. Ils avaient parlé avec éloquence et raconté des anecdotes sur la vie du défunt. Les commentaires du célébrant firent monter les larmes aux yeux de l'assistance et suscitèrent des petits rires. Puis, le pasteur demanda si quelqu'un voulait ajouter quelque chose.

Je me levai et, quand je me présentai comme « Bonnie, l'ex-femme du défunt », je sentis le courant d'air occasionné par toutes les têtes qui se tournèrent dans ma direction, pour me regarder. J'étais debout, à l'arrière, près de la porte. J'étais la première surprise de m'être levée pour prendre la parole. Même si le chagrin engourdissait mes sens, je pouvais sentir la tension créée par l'inquiétude de l'assistance qui se demandait ce que j'allais bien pouvoir dire. Tout le monde avait entendu des histoires d'ex-femmes aigries et en colère qui avaient fait une oraison funèbre vitriolique à leur ex-mari dans une telle situation.

Pendant notre mariage, Greg et moi étions devenus des amis intimes et avions partagé de nombreuses expériences enrichissantes. Les raisons et les souvenirs reliés à notre divorce n'avaient plus d'importance, car nous étions devenus de bien meilleurs amis après notre séparation.

Récemment, j'avais traversé une période difficile sur le plan émotionnel, et Greg et sa fiancée avaient été d'un loyal soutien. Nous possédions encore des propriétés en commun. Tous les trois, nous avions toujours fait preuve de beaucoup de respect et d'affection les uns envers les autres. Nous avions toujours été très coopératifs dans le travail et les loisirs.

Le pasteur avait parlé aux amis et à la famille de Greg, de son enfance, de ses aventures dans sa vie de jeune adulte. Il n'avait consacré que dix secondes à nos seize ans de mariage avant de passer à autre chose. Je ne pouvais pas laisser passer l'occasion de rendre hommage à la richesse et à l'importance de nos années de vie commune.

Le visage couvert de larmes et la voix entrecoupée de sanglots, je parlai brièvement, avec amour et tendresse, de notre histoire et de notre couple. Je ris de notre Greg bien-aimé et de son habitude de s'amuser « innocemment » à nous rendre jalouses, sa fiancée et moi. Mais je rassurai les personnes présentes que cela n'était jamais allé bien loin, car toutes les deux, nous connaissions son espièglerie.

Les nombreux regards fixés sur moi s'adoucirent quand ils entendirent les mots gentils que j'avais à dire sur le défunt. Les lèvres pincées esquissèrent des sourires. Je vis et sentis que l'assistance accueillait mes propos avec beaucoup de chaleur. L'affection des personnes qui commençaient à me reconnaître après tant d'années me réconfortait.

Après le service, de nombreux amis de longue date et des membres de la famille de Greg vinrent me serrer dans leurs bras, et me remercier d'avoir partagé avec eux mes souvenirs. Pendant quelques instants, nous étions retournés à l'époque de nos jeunes années, au début de nos relations remplies d'attentes et d'espoir. C'était exactement les funérailles qui convenaient à un homme bien trop jeune et bien trop plein de vie pour mourir si tôt.

Le véritable amour n'a pas à mourir dans un divorce. Nous avions raison de nous séparer. Mais après être restés éloignés le temps nécessaire, nous avions été capables de nous retrouver, et de partager une tendresse qui nous comblait bien davantage que notre mariage. Je suis reconnaissante que nous ayons eu la volonté et la capacité de transcender notre séparation et de construire quelque chose de mieux pour nous deux. En rendant hommage publiquement à Greg pendant ses funérailles, j'avais affirmé une vérité en laquelle je crois profondément : ce n'est pas parce que la forme d'une relation change que l'amour doit mourir.

Bonnie Furman

La dernière danse

Vous ne pouvez pas choisir comment et quand vous allez mourir. Vous ne pouvez que choisir comment vous allez vivre, maintenant.

Joan Baez

Dar et moi aimions danser. C'est probablement la première activité que nous avons faite ensemble, bien avant de partager nos vies. Nous avons grandi dans un petit village de montagne de l'Orégon, où l'on dansait presque tous les samedis soir, au Grange Hall et parfois chez Nelson Nye. Nelson et sa famille aimaient tellement jouer de la musique et danser qu'ils avaient agrandi leur maison. Ils avaient construit une pièce assez vaste pour accueillir au moins trois danses carrées en même temps. Une fois par mois, parfois plus, ils invitaient tout le village à danser. Nelson jouait du violon et sa fille, Hope, jouait du piano pendant que nous dansions.

À cette époque, la famille entière allait danser ensemble — incluant les grands-parents, les fermiers et les bûcherons, les maîtres et les maîtresses d'école, et le propriétaire du magasin général. Nous dansions aussi bien sur des chansons comme « Golden Slippers » et « Red Wing » que sur des chansons plus contemporaines comme « Red Sails in the Sunset » et « It's a Sin to Tell a Lie ».

Les jeunes enfants avaient toujours un endroit où dormir au milieu des manteaux, à portée des yeux de leurs parents. C'était une histoire de famille, une des rares distractions dans un village de montagne qui sortait lentement de la Grande Dépression.

Dar avait dix-sept ans, et j'en avais douze quand nous avons dansé ensemble pour la première fois. Il était un des meilleurs danseurs, et j'étais une des meilleures danseuses. Nous ne dansions que sur des rythmes de « swing » et de « boogie-woogie ». Pas de « slow », rien de romantique. Nos pères étaient debout, appuyés contre le mur, à nous regarder. Ils n'étaient pas amis. Ils ne se parlaient pas, n'échangeaient même pas quelques banalités. Bons danseurs eux aussi, ils étaient fiers de leurs enfants. De temps à autre, le père de Dar esquissait un sourire, hochait la tête et disait, à personne en particulier, mais de manière à ce que mon père puisse l'entendre : « Pour sûr, mon fils sait danser. »

Mon père ne bronchait jamais, il faisait toujours comme s'il n'avait rien entendu. Mais, un peu plus tard, il disait, à personne en particulier : « Y a pas de doute, ma fille sait danser. » Étant donné qu'ils étaient de la vieille école, ils ne nous disaient jamais que nous dansions bien et ne nous parlaient pas de ces petits moments de rivalité fanfaronne le long du mur.

Nous avons arrêté de danser pendant cinq ans, les cinq ans que Dar a passé dans le Pacifique sud durant la Seconde Guerre mondiale. Cinq années pendant lesquelles j'ai grandi. Quand nous nous sommes revus, Dar avait vingt-deux ans, et j'avais presque dix-huit ans. Nous avons commencé à nous fréquenter et nous avons recommencé à danser.

Cette fois, nous dansions pour nous. Nous trouvions nos mouvements, nos pas, notre rythme. Nous nous ajustions, nous anticipions et y prenions du plaisir. Nous étions aussi bons qu'autrefois et nous avions ajouté les slows à notre répertoire.

La métaphore s'applique bien à nous. La vie est une danse. Elle comporte une succession de rythmes, de changements de direction, de faux pas, parfois lents et précis, d'autres fois rapides, fous et joyeux. Nous avons fait tous ces pas.

Deux jours avant le décès de Dar, nous soupions avec notre famille, comme c'était le cas depuis quelques jours : nos deux fils et leur épouse, et quatre de nos huit petits-enfants. Dar était assis à la table avec nous. Il ne pouvait plus manger depuis plusieurs semaines, mais il aimait nous tenir compagnie. Il racontait des plaisanteries, taquinait les garçons à propos de leurs jeux de cartes, jouait avec Jacob, notre petit-fils de deux ans.

Plus tard, pendant que les filles finissaient de mettre de l'ordre dans la cuisine, je mis une cassette de Nat King Cole, *Unforgettable*. Dar me prit dans ses bras; malgré sa faiblesse, nous avons dansé.

Nous nous sommes serrés l'un contre l'autre, nous avons dansé et souri. Pas de larmes. Nous faisions ce que nous avions aimé faire pendant plus de cinquante ans. Et si le destin l'avait voulu, nous aurions continué à le faire encore cinquante ans. C'était notre dernière danse — pour toujours inoubliable. Je n'aurais manqué cette danse pour rien au monde.

Thelda Bevens

La dernière demande de Sarah

J'aurais beau être prophète, avoir toute la science des mystères et toute la connaissance de Dieu, et toute la foi jusqu'à transporter les montagnes, s'il me manque l'amour, je ne suis rien.

1 Co 13, 2

La mort rôdait. Le médecin, un des rares à se déplacer chez ses patients, venait de sortir de la chambre de Sarah et annonça l'inévitable nouvelle à Frank : « Sarah n'a plus que quelques heures à vivre. Si vos enfants veulent la voir une dernière fois, ils doivent venir aussi vite que possible. Frank, je vous le répète, ce n'est plus qu'une question d'heures. Je suis vraiment désolé. Téléphonez-moi si vous avez besoin de moi. » Ces mots retentissaient dans la tête de Frank quand il tendit faiblement la main au médecin. « Merci, docteur. Je vous appellerai. »

Les mots *Plus que quelques heures* résonnaient dans la tête de Frank pendant qu'il regardait la voiture du médecin s'éloigner. La nuit n'allait pas tarder à tomber, et il se hâta vers la cour arrière. Là, les épaules voutées et la tête penchée, il pleura de tout son cœur brisé. Comment pourrait-il vivre sans Sarah? Comment allait-il faire sans sa compagne? Elle avait été une épouse et une femme merveilleuse. C'était Sarah qui avait emmené les enfants à l'église. C'était Sarah qui avait été solide comme le roc dans les moments difficiles. C'était Sarah qui avait soigné les bleus, les écorchures, les chevilles foulées et le cœur brisé des enfants. Ses baisers maternels avaient guéri beaucoup de bobos. C'était Sarah qui avait fait de lui un homme meilleur. Quand il put contenir ses larmes, il retourna dans la maison et demanda à sa fille de convoquer les autres enfants, qui ne vivaient pas très loin de là. Peu de temps après, ils étaient tous à la maison, trois filles et deux garçons. « Ils sont ici, Sarah. Ils sont tous ici », dit-il à sa femme.

Sarah respirait péniblement. Le cancer avait rendu squelettique le corps de cette belle femme resplendissante de santé, mais elle gardait toujours son esprit combatif. Elle demanda d'une voix faible : « Frank, je veux rester quelques minutes seule avec chacun de mes enfants. » Frank répondit : « Je vais les chercher tout de suite, Sarah », et il s'empressa de sortir de la pièce.

Il réunit les enfants, tous dans la vingtaine et la trentaine, dans le long couloir qui menait à la chambre de Sarah. Chacun d'eux entra et ferma la porte pour passer un moment seul avec maman. Sarah parla à chacun d'eux avec amour. Tour à tour, elle leur dit quel fils particulier ou quelle fille spéciale il ou elle avait été pour elle. Chaque fils, chaque fille put passer quelques minutes précieuses avec cette mère aimante que la vie n'allait pas tarder à abandonner.

Sarah terminait son tête-à-tête avec son dernier enfant quand le ministre du culte arriva. Frank l'accueillit à la porte et l'accompagna auprès de sa femme. Sarah et le pasteur parlèrent quelques minutes de sa famille, du ciel, de la foi et de l'absence de la peur. Elle était prête à aller au ciel, mais elle détestait l'idée de quitter sa famille — surtout Frank. Puis, Sarah, Frank, le pasteur et les enfants se tinrent par la main et prièrent. Frank raccompagna le pasteur jusqu'à la porte et lui dit : « Ce ne sera plus très long. Le médecin a dit que ce n'était plus qu'une question d'heures — de courtes heures, je crois bien. »

Une fois le ministre parti, Sarah chuchota à ses enfants qui étaient restés à ses côtés : « Allez chercher papa. J'ai parlé à tout le monde, sauf à lui. » En un instant, les enfants sont sortis de la pièce, et Frank était près d'elle. Maintenant seuls, Sarah, avec lenteur, assurance et sincérité, fit part à son mari aimant de son dernier souhait.

« Frank, tu as été un bon mari et un bon père. Tu es resté à mes côtés pendant ces derniers mois de souffrance, et c'est pourquoi je t'aime encore plus. Mais, il y a une chose qui m'inquiète beaucoup. Tu n'es jamais venu à l'église avec les enfants et moi. Je sais que tu es un homme bien. J'ai demandé à chacun des enfants de me retrouver au ciel, parce que je veux que nous y soyons à nouveau réunis, comme une famille. Tu es le seul pour qui je m'inquiète. Frank, je ne peux pas mourir sans savoir que tu as fait la paix avec Dieu. » De chaudes larmes d'amour et de compassion coulaient sur les joues de Sarah.

Frank avait réussi par lui-même et dirigeait sa propre petite entreprise. C'était un homme raisonnable qui travaillait beaucoup et avait acquis ses maigres biens à la sueur de son front. Avec cinq enfants à élever et à éduquer, lui et Sarah n'avaient pas accumulé une fortune. De plus, Frank n'aimait pas beaucoup la sensiblerie et, parfois, il trouvait que les offices religieux jouaient un peu trop avec les émotions. En fait, il n'avait jamais accordé beaucoup de temps à Dieu.

« Frank », continua Sarah, « je t'en prie, dis-moi que tu seras avec moi et les enfants au ciel. Je t'en prie, Frank, fais la paix avec Dieu. » Le cœur de Frank fondit aux paroles remplies d'amour de Sarah. Les larmes inondaient les joues de cet homme à la taille imposante et aux mains rugueuses quand il s'agenouilla lentement à côté du lit où reposait sa femme. Frank prit la main frêle de Sarah dans la sienne et murmura une prière de pardon et d'amour, une prière qui sûrement toucha le cœur de Dieu.

Frank se releva, s'assit au bord du lit, prit doucement dans ses bras le corps frêle de sa précieuse épouse; il la serra une dernière fois contre lui. Ils pleurèrent sans aucune retenue, puis Frank dit d'une voix venue du plus profond de son être : « Je serai là, Sarah. Je te rejoindrai au ciel. Nous serons encore une famille. Je serai là, Sarah. Je le promets. »

« Maintenant, je peux mourir en paix », lui murmura Sarah. Il l'allongea sur le lit et fit venir les enfants dans la chambre. Il se rendit seul dans l'arrière-cour, à son endroit préféré pour pleurer, et purifia une fois de plus son âme avec ses larmes. Puis, il rejoignit les enfants dans la chambre de Sarah pour l'accompagner dans ses derniers instants.

Sarah respirait de plus en plus faiblement. Frank murmura à son oreille : « Je t'aime, Sarah, et je serai là. » Des anges miséricordieux vinrent et l'emmenèrent rapidement. Lorsque Sarah quitta la terre vers le ciel, elle souriait.

La mort avait emporté Sarah. Mais elle était en paix, car l'homme qu'elle avait aimé pendant tant d'années avait promis :

« Je serai là, Sarah. Je serai là. »

Ray L. Lundy

Encore un baiser de Rose

On ne reçoit jamais assez d'amour. Et on ne donne jamais assez d'amour.

Henry Miller

M. Kenney faisait fréquemment des séjours dans notre service hospitalier. Cadre supérieur à la retraite, veuf, il était atteint d'un cancer depuis trois ans. Le cancer s'était d'abord attaqué au côlon, puis des métastases avaient envahi tous les organes vitaux. Ce serait probablement sa dernière admission, et je pense qu'il le savait.

Certains patients sont connus pour être des « malades problèmes » à cause des changements de comportements qui accompagnent souvent les maladies graves. Quand les gens souffrent, ils ne sont pas conscients de ce qu'ils disent ou font aux autres. Souvent, ils se répandent en invectives sur la première personne qui entre dans leur chambre.

Toute infirmière est bien consciente de ces faits. Les infirmières les plus expérimentées ont appris à faire face à de telles situations. Bien entendu, c'est là que j'entre en scène, moi la « petite nouvelle dans le service ». Des jours durant, les autres infirmières ont parlé de M. Kenney dans leurs rapports, et des réunions du personnel ont été organisées pour décider comment réagir face à son comportement scandaleux. Tout le monde essayait de rester le moins longtemps possible dans sa chambre. Il lui arrivait de lancer des objets sur les infirmières et les autres membres du personnel s'il trouvait que ceux-ci l'avaient regardé d'une manière qui ne lui plaisait pas.

Un soir, alors que nous étions tous particulièrement occupés et avions plus que notre part d'admissions d'urgence au service de chirurgie et de médecine déjà surpeuplé, M. Kenney se manifesta une fois de plus. Il choisit ce soir-là pour refuser ses médicaments et décida de jeter tous les gros objets qui étaient à la portée de sa main à travers la pièce en criant à pleins poumons. J'avais du mal à croire qu'un homme de quatre-vingt-un ans, en phase terminale, puisse hurler si fort et causer autant de dégâts.

J'entrai prudemment dans sa chambre et commençai à lui parler. « Qu'est-ce que je peux faire pour vous, M. Kenney? Quel est donc le problème? Il y a un tel vacarme ici que même les visiteurs sont terrifiés. Je ne sais pas quoi penser. Les autres malades essaient de dormir. »

Le colérique M. Kenney parut ennuyé et posa le projectile (qui m'était destiné, semble-t-il). Il me demanda de m'asseoir une minute sur la chaise près de son lit. Je savais que je n'avais pas vraiment le temps, mais j'acceptai.

Je m'assis sur le bord de la chaise, et M. Kenney commença à me parler un peu de sa vie. Il commença par dire : « Personne ne comprend à quel point c'est pénible. Il y a si longtemps que je ne me suis pas senti bien. Ça fait si longtemps depuis... depuis... que quelqu'un a pris le temps de vraiment me regarder, de m'écouter... de se soucier de moi. »

Un long silence suivit. Je me demandai si ce n'était pas le meilleur moment pour m'éclipser poliment, mais je n'en ai pas eu le courage. Quelque chose me disait de rester avec cet homme.

Après ce qui me sembla une éternité, il finit par dire : « Ça fait si longtemps que je n'ai plus ma Rose avec moi. Ma merveilleuse et adorable Rose. On s'embrassait toujours le soir pour se souhaiter bonne nuit. Peu importe ce qui s'était passé pendant la journée, avec le baiser de Rose tout allait mieux. Mon Dieu, je donnerais n'importe quoi pour un dernier baiser de Rose. » Puis, M. Kenney commença à pleurer.

Il serra ma main et dit : « Je sais que vous devez penser que je suis fou, mais je sais que je n'en ai plus pour longtemps. J'ai hâte de retrouver ma Rose. Ma vie est un enfer ! J'apprécie vraiment que vous ayez pris le temps de m'écouter — de vraiment m'écouter. Je sais que vous êtes terriblement occupée. Je sais que vous vous souciez de moi. »

« Ça ne me dérange pas du tout. Pendant que je prépare vos médicaments, puis-je faire autre chose pour vous? »

« S'il vous plaît, appelez-moi Joseph », dit-il en se tournant volontiers pour me faciliter la tâche. Je lui fis ses piqûres et il réfléchit un instant avant de répondre à ma question. J'avais presque terminé lorsqu'il dit : « Je voudrais vous demander une dernière faveur. »

« Qu'est-ce que c'est, Joseph? »

Il se pencha sur le bord de son lit et dit à voix basse, « Pourriez-vous juste me souhaiter bonne nuit avec un baiser? S'il vous plaît? Mon Dieu, je donnerais n'importe quoi pour un dernier baiser de Rose. »

Je m'approchai du lit et déposai un gros baiser sur sa joue. Embrasser un homme mourant à la place de sa « Rose » me semblait légitime.

Le jour suivant, à la réunion, les infirmières dirent que M. Kenney nous avait quittés paisiblement pendant la nuit. C'est merveilleux de savoir qu'un véritable amour peut être si fort — que deux personnes peuvent être inséparables, même après la mort. J'étais si honorée que M. Kenney m'ait demandé de lui donner un dernier baiser de Rose.

Laura Lagana

La vie sans Michael

Le souvenir est un cadeau de Dieu que la mort ne peut pas détruire.

Khalil Gibran

J'ai beaucoup appris de Michael Landon. Aujourd'hui, je pense que ma force me vient de lui. Quelques semaines avant de mourir, il m'a écrit ses conseils dans un livre de souhaits qu'il m'a offert pour la fête des Mères. C'était sa façon de me préparer à notre séparation. Ce livre est très spécial pour moi; je le relis souvent. Il y disait : « Sois forte. Sois solide. Vis ta vie, aime-la et sois heureuse. » Une fois, Michael m'a dit : « N'aie pas de chagrin trop longtemps. » J'essaie, mais perdre quelqu'un comme Michael vous marque pour toujours.

Quand vous perdez quelqu'un que vous aimez, vous devez lutter avec cette perte à tous les jours. Au début, notre fils de cinq ans, Sean, avait du mal à parler de son père. Cela ne fait pas longtemps qu'il a recommencé à regarder son père à la télévision et à admettre qu'il lui manquait terriblement. Ce matin encore, il m'a dit que son papa lui manquait tellement qu'il en avait mal à l'estomac. Jennifer a huit ans, et ce fut difficile pour elle aussi. Nous suivons tous les trois une thérapie. Nous prenons la vie un jour à la fois.

Les enfants et moi allons souvent au cimetière. Nous apportons des lettres à Michael, juste pour lui dire ce que nous ressentons et ce qui se passe dans nos vies. Mais c'est à la maison que je me sens le plus proche de Michael. Il y a des photos de lui dans toutes les pièces. Ses vêtements sont encore dans sa garde-robe, exactement comme il les avait laissés. La maison était l'endroit où il préférait être. Je m'attends à ce qu'il franchisse la porte d'une minute à l'autre. Parfois, surtout quand je monte me coucher le soir, je souhaite qu'il m'attende en haut, que nous puissions nous asseoir et parler des événements de la journée.

La première fois que j'ai rencontré Michael, j'avais dix-neuf ans et je venais d'être engagée comme doublure pour le tournage de *La petite maison dans la prairie*. Quand j'ai vu la gentillesse avec laquelle il traitait tout le monde, j'ai été terriblement attirée par lui. Un soir, deux ans après m'être jointe à l'équipe de l'émission, il est venu chez moi après une fête sur le lieu du tournage. À partir de ce moment-là, nous avons été follement amoureux.

Michael et moi nous sommes mariés le jour de la Saint-Valentin, en 1983. C'était le meilleur mari au monde — fort, attentionné, spirituel et drôle, il était toujours prêt à me soutenir. Michael aimait aussi beaucoup être à la maison. Tous les jours, avant de quitter le studio, il téléphonait pour savoir ce dont nous avions besoin à l'épicerie. Il arrivait avec un sac rempli de surprises. Il adorait faire la cuisine et il préparait souvent le souper. Ses spécialités étaient des plats italiens, entre autres les spaghettis avec de la saucisse et le poulet cacciatore.

Il était aussi bon père que bon mari. J'aimais beaucoup le regarder jouer avec les enfants, surtout pendant les vacances. À Hawaii, il leur a appris à lancer des pierres dans l'eau pour faire des ronds et il était aussi excité que les enfants quand il découvrait un beau coquillage ou un minuscule bernard-l'ermite. Il passait des heures à jouer dans l'océan avec Sean et Jennifer. Tout était parfait. Michael adorait notre vie et son travail. Il avait toujours eu une excellent santé. Nous espérions vieillir ensemble.

En 1991, au mois de février, il commença à avoir des douleurs abdominales. C'était toujours difficile d'envoyer Michael voir le médecin. Je finis par prendre un rendez-vous, et il subit des examens pour vérifier s'il ne souffrait pas d'un ulcère. On ne trouva rien, mais le médecin lui prescrivit un médicament qui le soulagea pendant quelque temps.

Début avril, la douleur réapparut. Quatre jours plus tard, le 5 avril, nous avions les résultats de la biopsie : cancer du pancréas avec des métastases au foie.

Quand j'y repense, je suis certaine que Michael savait qu'il ne s'en sortirait pas. Le cancer du pancréas est rapide et fatal, avec un taux de survie après cinq ans de seulement trois pour cent. J'étais en colère, abasourdie. Pourquoi cela nous arrivait-il? Michael était plus pragmatique, comme toujours. Du jour où il a appris le diagnostic jusqu'au jour de son décès, jamais il n'a manifesté de colère. Une fois, il m'a dit : « Ce n'est pas Dieu le responsable. C'est la maladie. Dieu ne donne pas le cancer. » Michael n'avait pas peur de la mort, mais il ne voulait pas mourir. Il ne voulait pas laisser les personnes qu'il aimait.

Nous parlâmes franchement aux enfants dès le début. Michael et moi appelâmes ses enfants plus âgés, issus de son premier mariage, pour les informer de ce qui se passait. Puis, nous nous assîmes avec nos deux petits. Nous leur expliquâmes que papa souffrait d'un cancer grave, qu'il allait combattre de son mieux, mais qu'il n'y avait aucune garantie. Sean était très calme. Je ne suis pas certaine qu'il comprenait. Jennifer, aussi, semblait bien le prendre, mais par la suite des signes montrèrent qu'elle souffrait en silence. Elle avait des maux d'estomac, des maux de tête et des crises d'anxiété.

Très rapidement, la nouvelle de la maladie de Michael se répandit dans la presse, déclenchant une tempête, un ouragan médiatique. Des photographes attendaient devant la maison et à la sortie de l'hôpital. Ils escaladaient les murs du jardin et nous espionnaient par les fenêtres. Les tabloïds sortaient des histoires bizarres. Presque toutes les semaines, les journalistes inventaient quelque chose de nouveau. Une fois, ils déclarèrent que Michael n'en avait plus que pour quatre semaines à vivre. Une autre fois, ils affirmèrent que le cancer avait gagné le côlon. Rien de tout cela n'était vrai. En même temps, le public faisait preuve de compassion et d'amour. Nous recevions des monceaux de lettres, douze mille par semaine. Michael était profondément touché. Un jour, il me dit : « Ce n'est que maintenant que je réalise combien de vies j'ai touchées. »

En moins d'un mois, la taille du cancer doubla. Je pense que, pour la première fois, nous avons tous les deux compris qu'il allait probablement mourir. Cet après-midi-là, nous nous sommes réfugiés dans les bras l'un de l'autre. Je posai ma tête sur ses genoux et pleurai. Michael caressa mes cheveux et murmura : « Je sais, je sais. »

Bien qu'il ait refusé au début, Michael finit par accepter de suivre une chimiothérapie expérimentale. Il avait cette idée en horreur, et je ne crois pas qu'il l'aurait fait s'il n'y avait pas eu les enfants et moi. Il faisait un dernier effort pour survivre.

L'état de santé de Michael continua quand même à se détériorer. Le jour de la fête des Pères, le 16 juin, il nous apparut évident qu'il ne serait plus très longtemps avec nous. Les années précédentes, nous avions offert à Michael des cadeaux comme des raquettes de tennis. Cette année, nous lui offrîmes des pyjamas et de belles cartes que nous avions fabriquées spécialement pour lui. Toute la famille vint lui rendre visite.

Peu de temps après la fête des Pères, Michael me dit qu'il ne lui restait plus qu'une semaine à vivre. Au cours de cette dernière semaine, sa santé continua de se détériorer. Puis, le 30 juin au matin, un dimanche, l'infirmière me dit que la fin était proche. J'ai appelé les enfants et les meilleurs amis de Michael pour qu'ils viennent à la maison. Étant donné que les médecins avaient augmenté les doses de morphine et de Percocet, Michael était somnolent et passait d'un état de conscience à un état d'inconscience. Tout au long de cette dernière journée, nous avons tous dit au revoir à Michael en privé. Nous lui avons dit qu'il pouvait partir tranquille. S'il était prêt, il pouvait lâcher prise.

Le lendemain matin, Michael semblait être ailleurs, dans un état de rêve, et nous étions encore tous dans la chambre à coucher quand, brusquement, il s'est assis dans le lit et a crié : « Hé! Je vous aime tous. » Un peu plus tard, il a demandé aux autres de sortir et de nous laisser seuls tous les deux. Aujourd'hui, je pense qu'il était prêt à mourir, mais pas devant toute la famille.

Je suis restée avec Michael, attendant l'inévitable. De temps en temps, il tombait presque en transe. À un moment, je lui ai demandé : « Est-ce que tu me reconnais? » Il m'a regardée et a répondu : « Oui. » Je lui ai dit : « Je t'aime. » Il a répondu : « Moi aussi, je t'aime. » Ce furent ses dernières paroles. Quelques instants après, il ne respirait plus.

J'étais sous le choc. Je restai un petit moment avec Michael avant de descendre pour annoncer aux autres qu'il était mort. Cependant, nous n'eûmes pas beaucoup de temps pour nous recueillir. Nous entendîmes les hélicoptères tourner au-dessus de la maison, comme si la presse savait déjà. Tout à coup, nous entendîmes des hurlements dehors. Jennifer avait grimpée sur le haut des balançoires et criait : « Pas mon papa. Pas mon papa. Je ne veux pas que mon papa meure. » Je dis aux autres de la laisser faire. Je voulais qu'elle puisse exprimer sa peine. Elle ne tarda pas à descendre et vint se réfugier dans mes bras pour pleurer.

Un peu plus tard, l'entrepreneur des pompes funèbres arriva. Quand on emporta le corps de Michael, je compris que jamais il ne reviendrait. C'était la fin, Michael était parti.

Ce soir-là, les deux enfants dormirent avec moi. Jennifer et moi avions chacune revêtu une chemise de Michael pour dormir. J'avais l'impression d'être une intruse où que ce soit. Je n'avais plus ma place. J'étais complètement perdue. Abandonnée.

La meilleure chose que j'avais à faire était de partir. J'emmenai donc les enfants passer quatre semaines à Hawaii. Nous allâmes à un endroit que Michael et moi adorions. C'était pénible parce qu'il n'était pas avec nous. Mais c'était encore plus pénible de retourner à la maison, sachant que Michael ne serait pas là pour nous accueillir.

Nous allons mieux, mais il faut du temps. Les enfants dorment encore avec moi parfois, mais moins souvent qu'au début. Ils semblent avoir plus besoin que je les serre dans mes bras. Je continue à traverser des moments très difficiles. Il y a quelques jours, je roulais sur l'autoroute et j'ai pris la mauvaise sortie. Je me suis retrouvée au studio, là où les enfants et moi allions voir papa. C'était une partie importante de nos vies. Mais Michael nous a quittés, et toutes nos vies sont en train de changer.

C'est étrange, avant le décès de Michael, j'avais peur de la mort. J'avais peur de la maladie ou, parfois même, de monter dans un avion. Aujourd'hui, je n'ai plus peur. La vie est trop courte. On ne sait jamais ce qui peut arriver. Alors mieux vaut profiter le plus possible de chaque moment.

Quand je pense à Michael, ce dont je me souviens le plus, c'est à quel point il aimait la vie et aimait ardemment sa famille. Nous avons eu un mariage heureux. Nous étions toujours là l'un pour l'autre. Après avoir appris qu'il avait un cancer, il m'a dit un jour que, peu importe qu'il gagne ou perde, il pourrait y faire face. « J'ai eu une vie formidable, j'ai été très heureux », me disait-il. Michael me manque tous les jours, mais je sais que, où qu'il soit, il est bien et heureux — et qu'un jour, je le reverrai.

Cindy Landon et Kathryn Casey

Un dernier au revoir

J'ai cherché à venir près de toi, je t'ai appelée de tout mon cœur. Quand je suis allé vers toi, je t'ai vue qui venait à moi.

Judah Halevi

La chambre d'hôpital, silencieuse et sombre, me semblait de plus en plus irréelle à mesure que la journée passait. J'avais l'impression d'être témoin d'un tableau vivant dans un théâtre obscur. La scène était pourtant tristement réelle. Ma sœur, mon frère et moi-même, chacun perdu dans ses pensées, regardions en silence ma mère parler doucement à mon père, même s'il était inconscient. Elle était assise à son chevet et lui tenait la main. Notre père, après avoir supporté patiemment pendant des années la souffrance et les outrages d'une maladie incurable, n'en avait plus pour longtemps. Il avait glissé doucement dans le coma, tôt le matin. Nous savions qu'il allait mourir d'un moment à l'autre.

Maman arrêta de parler à papa. Je remarquai qu'elle regardait sa bague de fiançailles et son alliance en souriant tendrement. Je souris à mon tour. Je savais qu'elle pensait au rituel qui avait duré pendant leur quarante années de mariage. Maman était une femme énergique, toujours en mouvement, tout comme sa bague de fiançailles et son alliance qui ne restaient jamais en place. Papa, qui était toujours calme et ordonné, prenait sa main et remettait doucement et soigneusement les anneaux à leur place. Même s'il était très sensible et très amoureux, les mots « je t'aime » ne lui venaient pas facilement. Alors, il exprima ses sentiments de nombreuses petites façons, comme celle-ci, au cours des années.

Après un long silence, maman se tourna vers nous et dit d'une petite voix triste : « Je savais que votre père allait bientôt nous quitter, mais il est tombé dans le coma si brutalement que je n'ai pas eu la chance de lui dire une dernière fois au revoir et que je l'aimais. »

Je baissai la tête et voulus prier pour qu'un miracle leur permette de partager leur amour une dernière fois. Mais mon cœur était si lourd que je ne trouvai pas les mots.

Nous savions qu'il ne nous restait plus qu'à attendre. À mesure que la nuit passait, nous nous assoupîmes les uns après les autres. La pièce était silencieuse. Soudain, nous fûmes réveillés en sursaut. Maman pleurait. Craignant le pire, nous nous levâmes pour la consoler. Nous découvrîmes, à notre grande surprise, que ses larmes étaient des larmes de joie. Nous suivîmes son regard et vîmes qu'elle tenait toujours la main de papa. Mais, nous remarquâmes que l'autre main de papa s'était légèrement déplacée et reposait doucement sur la main de maman.

Elle souriait à travers ses larmes quand elle nous expliqua : « Pendant un moment, il m'a regardée droit dans les yeux. » Elle s'arrêta pour regarder sa main. « Puis, il a remis mes bagues en place », murmura-t-elle d'une voix étouffée par l'émotion.

Papa mourut une heure plus tard. Mais, dans son infinie bonté, Dieu savait ce que chacun de nous souhaitait au plus profond de son cœur. Avant même que nous puissions le lui demander, Il a répondu à notre prière d'une manière que nous chérirons pour le reste de nos vies.

Maman avait eu son au revoir.

Karen Corkern Babb

Au fil des ans,
Je marcherai avec toi
Dans de profondes forêts verdoyantes,
Sur des plages de sable.
Et quand notre temps sur terre sera écoulé,
Au ciel aussi
Tu auras ma main.

Robert Sexton

À propos des auteurs

Jack Canfield

Jack Canfield est un des grands spécialistes américains du développement du potentiel humain et de l'efficacité personnelle. Conférencier dynamique et captivant, il est également un conseiller très en demande pour son extraordinaire capacité d'informer et d'inspirer ses auditeurs, et de les amener à vouloir améliorer leur estime de soi et leur rendement.

Auteur et narrateur de plusieurs programmes sur audio et vidéocassettes, dont *Self-Esteem and Peak Performance, How to Build High Self-Esteem, Self-Esteem in the Classroom* et *Chicken Soup for the Soul – Live*, on le voit régulièrement dans des émissions télévisées telles que *Good Morning America, 20/20* et *NBC Nightly News*. En outre, il est coauteur de plusieurs livres, dont la série *Bouillon de poulet pour l'âme, Dare to Win* et *The Aladdin Factor* (tous avec Mark Victor Hansen), *100 Ways to Build Self-Concept in the Classroom* (avec Harold C. Wells) et *Heart at Work* (avec Jacqueline Miller).

Jack donne régulièrement des conférences pour des associations professionnelles, des commissions scolaires, des organismes gouvernementaux, des églises, des hôpitaux, des entreprises du secteur de la vente et des sociétés. Parmi ses clients, on compte American Dental Association, American Management Association, AT&T, Campbell Soup, Clairol, Domino's Pizza, GE, ITT, Hartford Insurance, Johnson & Johnson, Million Dollar Roundtable, NCR, New England Telephone, Re/Max, Scott Paper, TRW et Virgin Records. Jack est également associé à Income Builders International, une école pour entrepreneurs.

Tous les ans, Jack organise un programme de formation de huit jours qui s'adresse aux personnes œuvrant dans le domaine de l'estime de soi et de l'amélioration du rendement. Ce programme attire des éducateurs, des conseillers, des formateurs auprès des groupes de soutien aux parents, des formateurs en entreprise, des conférenciers professionnels, des ministres du culte et des gens qui désirent améliorer leurs talents d'orateur et d'animateur.

Mark Victor Hansen

Mark Victor Hansen est un conférencier professionnel qui, au cours des 20 dernières années, s'est adressé à plus de 2 millions de personnes dans 32 pays. Il a fait plus de 4 000 présentations sur l'excellence et les stratégies dans le domaine de la vente, sur l'amélioration de soi et le développement personnel, et sur les moyens de tripler ses revenus tout en disposant de deux fois plus de temps libre.

Mark a consacré toute sa vie à sa mission : produire des changements profonds et positifs dans la vie des gens. Tout au long de sa carrière, non seulement a-t-il su inciter des centaines de milliers de gens à se bâtir un avenir meilleur et à donner un sens plus profond à leur vie, mais il a généré des ventes de plusieurs milliards de dollars en produits et services.

Mark est un auteur prolifique et a écrit de nombreux livres, dont *Future Diary, How to Achieve Total Prosperity* et *The Miracle of Tithing*. Il est coauteur de *Dare to Win*, de la série *Bouillon de poulet pour l'âme*, de *The Aladdin Factor* (tous en collaboration avec Jack Canfield) et de *The Master Motivator* (avec Joe Batten).

En plus d'écrire et de donner des conférences, Mark a réalisé une collection complète d'audio et de vidéocassettes sur l'amélioration de soi qui ont permis aux gens de découvrir et d'utiliser toutes leurs ressources dans leur vie personnelle et professionnelle. Le message qu'il transmet a fait de lui une personnalité populaire de la radio et de la télévision. On a notamment pu le voir sur les réseaux ABC, NBC, CBS, CNN, PBS et HBO. Mark a également fait la couverture de nombreux magazines, dont *Success, Entrepreneur* et *Changes*.

C'est un grand homme au grand cœur et aux grandes idées, un modèle pour tous ceux qui cherchent à s'améliorer.

Barbara De Angelis, Ph.D.

Barbara De Angelis, Ph.D., est reconnue au niveau international comme l'une des plus grandes expertes en relations humaines et en croissance personnelle. Auteure de best-sellers, personnalité populaire de la télévision et conférencière spécialiste de la motivation très demandée, elle a touché des millions de personnes dans le monde entier. Elle leur a transmis son message positif sur l'amour, le bonheur et la recherche d'un sens dans notre vie.

Barbara est l'auteure de plusieurs best-sellers qui se sont vendus à plus de 4 millions d'exemplaires et publiés dans 20 langues. Son premier livre, *How to Make Love all the Time,* a été un best-seller aux États-Unis. Les deux livres qu'elle a écrit par la suite, *Secrets About Men Every Woman Should Know* (Les secrets sur les hommes que toutes les femmes devraient savoir) et *Are You the One for Me?* (Le ou la partenaire idéale), ont été #1 sur la liste des best-sellers du *New York Times* pendant des mois. Son quatrième livre, *Real Moments,* est aussi devenu du jour au lendemain un best-seller du *New York Times* et a été suivi de *Real Moments for Lovers*. Ses livres les plus récents sont *Passion, Confidence, Ask Barbara* et *The Real Rules*.

Pendant deux ans, Barbara est apparue chaque semaine sur les ondes de CNN Newsnight. Elle était leur spécialiste en relations interpersonnelles et donnait des conseils dans le monde entier par satellite. Elle a animé sa propre émission quotidienne pour CBS TV et son populaire *talk-show* à la radio, à Los Angeles. Elle a également été souvent invitée aux émissions *Oprah, Leeza, Geraldo* et *Politically Incorrect*. Le premier publireportage de Barbara pour la télévision, *Making Love Work*, qu'elle a écrit et réalisé, a remporté de nombreux prix et est le reportage sur les relations interpersonnelles qui a remporté le plus de succès en son genre. Cinq cent mille personnes dans le monde entier l'utilisent.

Barbara a fondé le Los Angeles Personal Growth Center dont elle a été la directrice exécutive pendant 12 ans. Elle a obtenu sa maîtrise en psychologie de Sierra University, à Los Angeles, et son doctorat en psychologie de Columbia Pacific University, à San Francisco.

Barbara est connue pour sa vitalité, sa chaleur, son humour et sa présence inspirante qu'elle partage avec son auditoire.

Mark et Chrissy Donnelly

Mari et femme, ils sont à l'image des couples amoureux décrits dans les histoires de *Bouillon de poulet pour l'âme*. Quand ils se sont mariés, Mark et Chrissy Donnelly ont pris la décision de passer le plus de temps possible ensemble, et ce, autant pour le travail que pour les loisirs. Mark raconte comment, pendant leur voyage de noces à Hawaii, ils ont imaginé des douzaines de moyens pour quitter leurs emplois respectifs et travailler ensemble à des projets significatifs. Élaborer un livre d'histoires sur des couples amoureux était une idée parmi d'autres.

Parlant du projet *Bouillon de poulet pour l'âme du couple*, Mark et Chrissy disent que cette expérience les a rapprochés encore plus. Le fait de rencontrer d'autres couples qui s'aiment et de lire leurs histoires (même les centaines qui ne furent pas choisies pour le livre final) n'a fait que fortifier leur amour. Les Donnelly font tout leur possible pour augmenter encore le temps qu'ils passent ensemble et continuent d'apprendre de nouvelles façons d'améliorer leur amour et leur engagement dans leur vie quotidienne.

Mark et Chrissy contribuent activement au succès de la série *Bouillon de poulet pour l'âme* et travaillent actuellement (ou ont travaillé) à d'autres livres de cette série : *Bouillon de poulet pour l'âme du golfeur, Chicken Soup fo the Father's Soul, Chicken Soup for the Family Soul* et *Chicken Soup for the Friend's Soul*. Mark est aussi président de The Donnelly Marketing Group, qui fait découvrir dans le monde entier le message de *Bouillon de poulet pour l'âme* par le biais de projets spéciaux. Mark a été vice-président du marketing pour la compagnie de matériaux de construction qui appartenait à sa famille. Chrissy était comptable agréée chez Price Waterhouse.

Autorisations

Nous aimerions remercier les personnes et les maisons d'édition qui nous ont permis de reproduire les textes suivants. (Remarque : les histoires signées anonyme, appartenant au domaine public ou écrites par Jack Canfield, Mark Victor Hansen, Barbara De Angelis, Mark Donnelly ou Chrissy Donnelly n'apparaissent pas dans cette liste.)

Je pense à toi. Reproduit avec l'autorisation de Alicia von Stamwitz. © 1998 Alicia von Stamwitz.

Quelqu'un pour veiller sur moi. Reproduit avec l'autorisation de Sharon M. Wajda. © 1998 Sharon M. Wajda.

J'ai faim de ton amour. Reproduit avec l'autorisation de Herman et Roma Rosenblat. © 1998 Herman et Roma Rosenblat.

Je t'aime. Reproduit avec l'autorisation de Laura Jeanne Allen. © 1998 Laura Jeanne Allen.

Une histoire d'amour irlandaise. Reproduit avec l'autorisation de George Target. © 1998 George Target.

Mûre ou bourgogne? Reproduit avec l'autorisation de T. Suzanne Eller. © 1998 T. Suzanne Eller.

Un geste tendre. Reproduit avec l'autorisation de Daphna Renan. © 1998 Daphna Renan

Une épreuve de foi. Reproduit avec l'autorisation de Bryan Smith. © 1998 Bryan Smith.

Marchandises endommagées. Reproduit avec l'autorisation de Joanna Slan. © 1998 Joanna Slan.

La prophétie du beignet chinois. Reproduit avec l'autorisation de Don Buehner. © 1998 Don Buehner.

Nuvite par amour. Reproduit avec l'autorisation de Carole Bellacera. © 1998 Carole Bellacera.

Limonade et histoire d'amour. Reproduit avec l'autorisation de Justin R. Haskin. © 1998 Justin R. Haskin.

Une deuxième chance. Reproduit avec l'autorisation de Diana Chapman. © 1998 Diana Chapman.

J'ai sauvé la vie de mon mari. Reproduit avec l'autorisation de Lorraine Lengkeek. © 1998 Lorraine Lengkeek.

Composez le 911, extrait de *101 Ways to Pop the Question* et *Will You Mary Me? The World's Most Romantic Proposals.* Reproduit avec l'autorisation de Cynthia C. Muchnick et Marie et Michael Pope. © 1998 Cynthia C. Muchnick et Marie et Michael Pope.

Comment je t'aime? Reproduit avec l'autorisation de Lilian Kew. © 1998 Lilian Kew.

Tante Esther Gubbins. Reproduit avec l'autorisation de Katharine Byrne et America Press, Inc., 106 West 56th St., New York, NY 10019. Publié à l'origine dans America.

L'amour sans paroles. Reproduit avec l'autorisation de Margie Parker. © 1998 Margie Parker.

Inséparables. Reproduit avec l'autorisation de Susan Ager. © 1998 Susan Ager.

La liste. Reproduit avec l'autorisation de Marguerite Murer. © 1998 Marguerite Murer.

Rester en contact. Reproduit avec l'autorisation de Thom Hunter. Extrait de son livre *Those Not-So-Still Small Voices.* © 1995 Thom Hunter.

Des rôles inversés et *Derrière chaque grand homme se cache une grande femme.* Extraits de *The Best of Bits & Pieces.* Reproduits avec l'autorisation de The Economics Press, Inc. 1-800-526-2554.

Une situation serrée. Reproduit avec l'autorisation de Barbara D. Starkey. © 1998 Barbara D. Starkey.

La guerre de la mayonnaise. Reproduit avec l'autorisation de Nick Harrison. © 1989 Nick Harrison.

Le cadeau d'amour de Derian. Reproduit avec l'autorisation de Patsy Keech. © 1998 Patsy Keech.

Gravé dans son cœur. Reproduit avec l'autorisation de Elizabeth Songster. © 1998 Elizabeth Songster.

De nouvelles espadrilles. Reproduit avec l'autorisation de Kim Lonette Trabucco. © 1998 Kim Lonette Trabucco.

Love Me Tender. Reproduit avec l'autorisation de Jacklyn Lee Lindstrom. © 1998 Jacklyn Lee Lindstrom.

Une histoire d'amour. Reproduit avec l'autorisation de LeAnn Thieman. © 1998 LeAnn Thieman.

L'appartenance. Reproduit avec l'autorisation de Bob Welch. © 1998 Bob Welch.

Avoir quelqu'un. Reproduit avec l'autorisation de Maxine M. Davis. © 1998 Maxine M. Davis.

Prendre des photos. Reproduit avec l'autorisation de Ken Grote. © 1998 Ken Grote.

Le clin d'œil. Reproduit avec l'autorisation de Karen Culver. © 1998 Karen Culver.

Les petites bottes rouges. Reproduit avec l'autorisation de Jeannie S. Williams. © 1998 Jeannie S. Williams.

Un lien indestructible. Reproduit avec l'autorisation de Jann Mitchell. © 1998 Jann Mitchell.

Jeune pour toujours. Reproduit avec l'autorisation de Shari Cohen. © 1998 Shari Cohen.

Le mercredi. Reproduit avec l'autorisation de David A. Manzi. © 1998 David A. Manzi.

Je t'aime toujours. Reproduit avec l'autorisation de Geoffrey Douglas. © 1998 Geoffrey Douglas.

Un *mardi comme un autre.* Reproduit avec l'autorisation de Dorothy Walker. © 1993 Dorothy Walker.

Chérie, tu es... Reproduit avec l'autorisation de David L. Weatherford. © 1998 David L. Weatherford.

Le jour de nos vingt ans de mariage. Reproduit avec l'autorisation de Maggie Bedrosian. © 1998 Maggie Bedrosian.

Souriez à la personne que vous aimez. Reproduit avec l'autorisation de Eileen Egan. Extrait de *Such a Vision of the Street* (Doubleday). © 1998 Eileen Egan.

Du pouding au riz. Reproduit avec l'autorisation de Roxanne Willems Snopek. © 1998 Roxanne Willems Snopek.

Un signe de son amour. Reproduit avec l'autorisation de Patricia Forbes. © 1998 Patricia Forbes.

Attendre. Reproduit avec l'autorisation de Ann W. Compton. © 1998 Ann W. Compton.

L'amour après le divorce. Reproduit avec la permission de Bonnie Furman. © 1998 Bonnie Furman.

La dernière danse. Reproduit avec l'autorisation de Thelda Bevens. © 1997 Thelda Bevens.

La dernière demande de Sarah. Reproduit avec l'autorisation de Ray L. Lundy. © 1998 Ray L. Lundy.

Encore un baiser de Rose. Reproduit avec l'autorisation de Laura Lagana. © 1998 Laura Lagana.

La vie sans Michael. Reproduit avec l'autorisation de Kathryn Casey. © 1998 Kathryn Casey.

Un dernier au revoir. Reproduit avec l'autorisation de Karen Corkern Babb. © 1998 Karen Corkern Babb.

Déjà parus dans la collection

BOUILLON DE POULET POUR L'ÂME

Un 1er bol de Bouillon de poulet pour l'âme

À la fois émouvantes et stimulantes, pleines d'humour et de sagesse, ces «perles», tirées du vécu de nombreuses personnes, constituent un rappel aux valeurs essentielles : amour, amitié, gratitude, compassion. Que l'on veuille encourager un ami, instruire un enfant, ou illustrer une idée, on trouvera toujours une histoire appropriée dans ce trésor de sagesse.

« L'argent et la gloire ne rendent pas nécessairement les gens heureux. Il faut trouver le bonheur à l'intérieur de soi. Ce livre vous mettra un million de sourires dans le cœur. »

– Robin Leach

FORMAT 15 X 23 CM, 288 PAGES, ISBN 2-89092-212-X
AUTEURS: MARK VICTOR HANSEN ET JACK CANFIELD

Un 2e bol
de Bouillon de poulet pour l'âme

Les best-sellers américains de la série **Bouillon de poulet pour l'âme** *(Chicken Soup for the Soul)* ont capté l'imagination de plusieurs millions de lecteurs par leurs réjouissants messages d'espoir et d'inspiration. Partagez la magie qui changera à jamais votre façon de vous percevoir et de percevoir le monde qui vous entoure.

FORMAT 15 X 23 CM, 304 PAGES, ISBN 2-89092-208-1
AUTEURS: MARK VICTOR HANSEN ET JACK CANFIELD

Un 3e bol
de Bouillon de poulet pour l'âme

Pour satisfaire leur vaste public affamé d'autres bonnes nouvelles du même genre, Jack Canfield et Mark Victor Hansen se sont remis au travail et ont concocté un autre *bouillon* d'histoires, véritables témoignages de vie, pour réchauffer votre cœur, apaiser votre âme et nourrir vos émotions.

FORMAT 15 X 23 CM, 304 PAGES, ISBN 2-89092-217-0
AUTEURS: MARK VICTOR HANSEN ET JACK CANFIELD

Un 4^e^ bol

de Bouillon de poulet pour l'âme

Vos sujets favoris : l'amour, l'art d'être parent, l'enseignement et l'apprentissage, les perspectives, les attitudes, les obstacles vaincus et la sagesse.

Savourez ce livre enrichissant et partagez-le avec vos amis, votre famille et vos collègues de travail. Il changera votre vision de la vie.

FORMAT 15 X 23 CM, 304 PAGES, ISBN 2-89092-250-2
AUTEURS: MARK VICTOR HANSEN ET JACK CANFIELD
HANOCH MCCARTY ET MELADEE MCCARTY

Bouillon de poulet pour l'âme de la Femme

Ces magnifiques histoires honorent la force et révèlent la beauté de l'esprit des femmes. Vous trouverez inspiration, joie et réconfort dans les messages sur : l'amour, vivre vos rêves, savoir vaincre les obstacles, le mariage, la maternité, le vieillissement, l'action d'engendrer, l'attitude, l'estime de soi et la sagesse.

FORMAT 15 X 23 CM, 288 PAGES, ISBN 2-89092-218-9
AUTEURS: JACK CANFIELD, MARK VICTOR HANSEN,
JENNIFER READ HAWTHORNE ET MARCI SHIMOFF

Bouillon de poulet pour l'âme d'une Mère

Cet ouvrage rend hommage à la maternité qui exige des talents de guide, de cuisinière et de conseillère. Ces histoires célèbrent des moments précis de la maternité : en commençant par donner la vie jusqu'à développer l'intuition d'une mère; en conservant la vie familiale jusqu'à lâcher prise.

FORMAT 15 X 23 CM, 312 PAGES, ISBN 2-89092-232-4
AUTEURS: JACK CANFIELD, MARK VICTOR HANSEN,
JENNIFER READ HAWTHORNE ET MARCI SHIMOFF

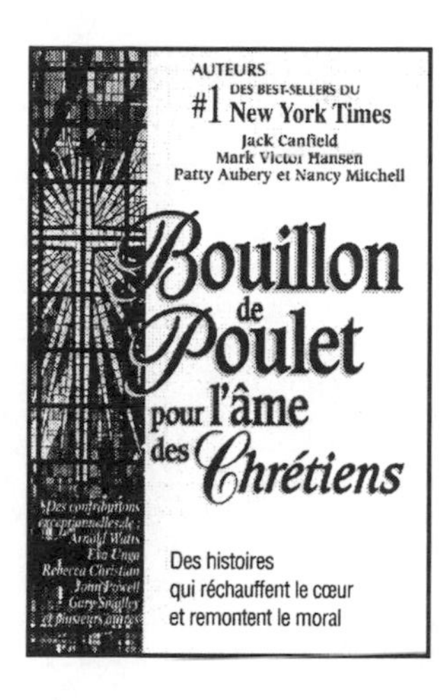

Bouillon de poulet pour l'âme des *Chrétiens*

Des thèmes d'amour, de pardon, de foi, d'espoir et de charité ont soutenu les esprits et réchauffé les cœurs de millions de lecteurs. Dans votre vie quotidienne — tant à la maison qu'au travail et dans la collectivité — ces récits puissants vous rappelleront que vous n'êtes jamais seul ou sans espoir, si difficile et si pénible que soit votre situation.

FORMAT 15 X 23 CM, 288 PAGES, ISBN 2-89092-235-9
AUTEURS: JACK CANFIELD, MARK VICTOR HANSEN
PATTY AUBERY ET NANCY MITCHELL

Bouillon de poulet pour l'âme au *Travail*

Ce livre nourrira votre esprit avec ses histoires de leaders courageux et alimentera votre créativité avec ses exemples de découvertes passionnantes. Il vous montrera aussi à quel point la reconnaissance sincère à l'égard des autres peut enrichir votre vie et la vie de vos collègues de travail.

FORMAT 15 X 23 CM, 288 PAGES, ISBN 2-89092-248-0
AUTEURS: JACK CANFIELD, MARK VICTOR HANSEN,
MAIDA ROGERSON, MARTIN RUTTE & TIM CLAUSS

Bouillon de poulet pour l'âme de

l'Ami des bêtes

Chaque page immortalise les liens vivifiants qui unissent les animaux et les gens. Des histoires de bêtes qui enseignent, qui guérissent, qui sont des héros et des amis. Des histoires qui racontent l'amour, la loyauté et les pouvoirs curatifs des animaux. Tout foyer où on aime les bêtes ne peut se passer ce livre.

FORMAT 15 X 23 CM, 304 PAGES, ISBN 2-89092-254-5
AUTEURS: JACK CANFIELD, MARK VICTOR HANSEN,
MARTY BECKER & CAROL KLINE

Bouillon de poulet pour l'âme du

Golfeur

Que vous soyez débutant au golf ou joueur aguerri, ces histoires de victoires humaines et d'épreuves sur le parcours vous amuseront et vous inspireront.

Vous apprendrez comment savourer l'instant présent, augmenter votre confiance en vous et découvrir qu'avec de la persévérance et de l'imagination, il y a toujours moyen de sortir d'une fosse de sable, quelle qu'elle soit.

FORMAT 15 X 23 CM, 336 PAGES, ISBN 2-89092-256-1
AUTEURS: JACK CANFIELD, MARK VICTOR HANSEN,
JEFF AUBERY ET MARK & CHRISSY DONNELLY

Bouillon de poulet pour l'âme des

Ados

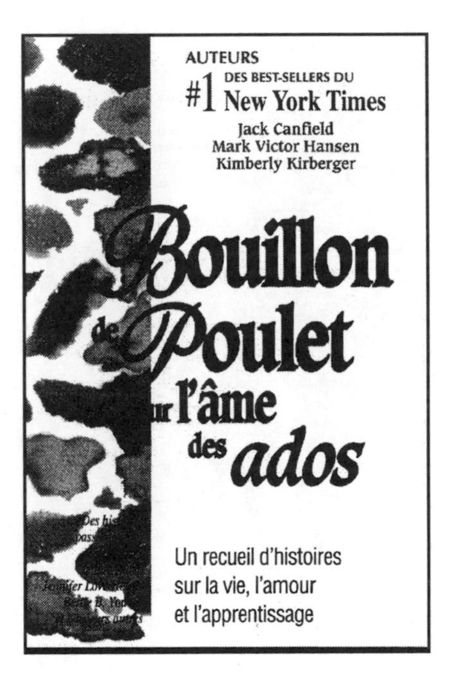

Voici un guide de survie qui t'aidera à traverser avec succès ces années trépidantes sans perdre ton sens de l'humour ni ton équilibre.

De multiples sujets : l'amitié et l'amour, l'importance de croire en l'avenir, le respect de soi et des autres, la façon de surmonter des épreuves comme la mort, le suicide et les chagrins d'amour.

FORMAT 15 X 23 CM, 288 PAGES, ISBN 2-89092-230-8
AUTEURS: JACK CANFIELD, MARK VICTOR HANSEN
ET KIMBERLY KIRBERGER

Bouillon de poulet pour l'âme des

Ados — Journal

« C'est plus qu'un journal. C'est un livre de vie, un livre de souvenirs et un journal intime stimulant. Il n'y a pas un ado dans le monde qui ne ressentirait pas les bienfaits de ce "journal". J'y écris chaque jour et je souhaite pouvoir continuer encore et encore. »

– Hana, 16 ans

FORMAT 15 X 23 CM, 336 PAGES, ISBN 2-89092-266-9
AUTEURS: JACK CANFIELD, MARK VICTOR HANSEN
ET KIMBERLY KIRBERGER

Bouillon de poulet pour l'âme de l'Enfant

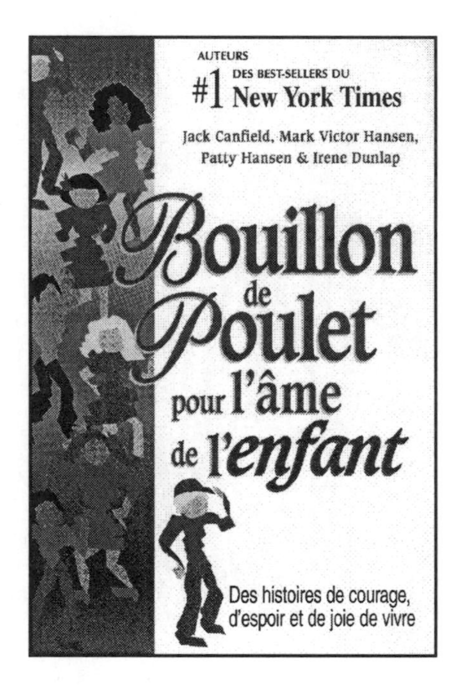

Parfois, tu as l'impression que la vie n'est qu'un feu roulant d'activités et de jeux avec les copains. À d'autres moments, la vie te paraît compliquée.

Grâce à ce livre, tu trouveras réponses et mots d'encouragement, et tu te rendras compte que tu peux réellement réaliser tes rêves.

FORMAT 15 X 23 CM, 336 PAGES, ISBN 2-89092-257-X
AUTEURS : JACK CANFIELD, MARK VICTOR HANSEN,
PATTY HANSEN ET IRENE DUNLAP

Bouillon de poulet pour l'âme du

Survivant

Les histoires incroyables de ceux qui ont dépassé la souffrance du corps et de l'âme pour survivre au cancer. Grâce à un soutien aimant et à leur certitude d'être capables de surmonter les épreuves, ceux qui partagent avec nous leurs histoires offrent à toutes les victimes du cancer un moyen de se prendre en main. Ceux qui se remettent d'une maladie éprouvante ou d'un grave accident y puiseront également la force nécessaire.

Un 5e bol

de Bouillon de poulet pour l'âme

Les auteurs partagent avec vous les expériences les plus significatives de leur vie. Leurs histoires-cadeaux vous aideront à trouver une signification profonde à vos propres expériences et à progresser vers une vie plus riche et plus épanouissante.

N'oubliez pas, il y a toujours place pour plus d'amour, plus de sagesse, plus d'inspiration et plus de partage.

FORMAT 15 X 23 CM, 336 PAGES, ISBN 2-89092-267-7
AUTEURS : JACK CANFIELD, MARK VICTOR HANSEN

SÉRIE POCHE

Un concentré de Bouillon de poulet pour l'âme

Petit recueil des histoires favorites des auteurs

Voici une édition spéciale des histoires favorites des auteurs des trois premiers volumes de la série, soit *Un 1er bol de Bouillon de poulet pour l'âme, Un 2e bol de Bouillon de poulet pour l'âme* et *Un 3e bol de Bouillon de poulet pour l'âme.* Cette anthologie revigorante sera en tout temps une source de réconfort, tant pour ceux et celles qui découvrent le pouvoir apaisant de *Bouillon de poulet* pour la première fois que pour les initié(e)s de la série. Une source d'inspiration et de croissance personnelle.

FORMAT 11 X 18 CM, 216 PAGES, ISBN 2-89092-251-0
AUTEURS: JACK CANFIELD, MARK VICTOR HANSEN
ET PATTY HANSEN

Une tasse de Bouillon de poulet pour l'âme

Histoires inédites

Parfois, nous avons uniquement le temps de prendre une tasse de bouillon. C'est pourquoi les auteurs vous offrent ce recueil de nouvelles histoires à savourer en portions individuelles. Cet ouvrage est le cadeau idéal à offrir aux gens d'affaires pressés, les jeunes en quête d'inspiration ou tous ceux et celles qui ont besoin d'un « petit remontant » l'apprécieront. Savourez-le et partagez-en les bienfaits avec vos proches.

FORMAT 11 X 18 CM, 192 PAGES, ISBN 2-89092-245-6
AUTEURS: JACK CANFIELD, MARK VICTOR HANSEN
ET BARRY SPILCHUK

transcontinental
PRINTING
IMPRIMERIE GAGNÉ